安徒生童话

《图说天下·珍藏版》编委会 编

吉林出版集团有限责任公司

图书在版编目（CIP）数据

安徒生童话／《图说天下：珍藏版》编委会编.
－长春：吉林出版集团有限责任公司，2008.7
（图说天下：珍藏版）
ISBN 978-7-80762-739-5

I.安… II.图… III.童话－作品集－丹麦－近代－缩
写本 IV.I534.88

中国版本图书馆CIP数据核字（2008）第109097号

Antusheng Tonghua

安徒生童话

出　　版：吉林出版集团有限责任公司（www.jlpg.cn）
　　　　　（长春市人民大街4646号，邮政编码130021）
发　　行：吉林出版集团译文图书经营有限公司
　　　　　（http://shop34896900.taobao.com）
制　　作：（www.rzbook.com）
印　　刷：北京威远印刷有限公司
开　　本：889×1194mm　　1/16
印　　张：12
字　　数：65千字
版　　次：2008年11月第1版
印　　次：2015年8月第8次印刷
定　　价：88.00元

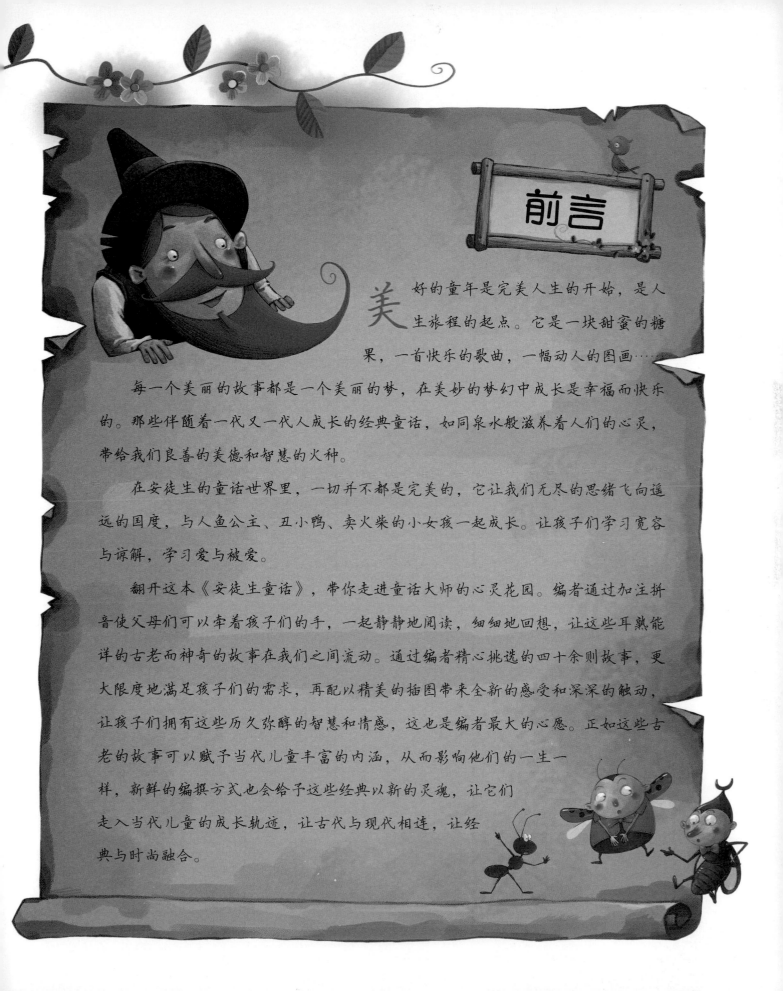

前言

美 好的童年是完美人生的开始，是人生旅程的起点。它是一块甜蜜的糖果，一首快乐的歌曲，一幅动人的图画……

每一个美丽的故事都是一个美丽的梦，在美妙的梦幻中成长是幸福而快乐的。那些伴随着一代又一代人成长的经典童话，如同泉水般滋养着人们的心灵，带给我们良善的美德和智慧的火种。

在安徒生的童话世界里，一切并不都是完美的，它让我们无尽的思绪飞向遥远的国度，与人鱼公主、丑小鸭、卖火柴的小女孩一起成长。让孩子们学习宽容与谅解，学习爱与被爱。

翻开这本《安徒生童话》，带你走进童话大师的心灵花园。编者通过加注拼音使父母们可以牵着孩子们的手，一起静静地阅读，细细地回想，让这些耳熟能详的古老而神奇的故事在我们之间流动。通过编者精心挑选的四十余则故事，更大限度地满足孩子们的需求，再配以精美的插图带来全新的感受和深深的触动，让孩子们拥有这些历久弥醇的智慧和情感，这也是编者最大的心愿。正如这些古老的故事可以赋予当代儿童丰富的内涵，从而影响他们的一生一样，新鲜的编撰方式也会给予这些经典以新的灵魂，让它们走入当代儿童的成长轨迹，让古代与现代相连，让经典与时尚融合。

Fairy Tales by
Hans Christian Andersen

安徒生童话

目录

丑小鸭

Chouxiaoya

一个美丽的夏天，在池塘边的草丛里，一只母鸭正在孵蛋。终于，噼啪几声，蛋裂开了，小鸭子们一个个伸出了头。可是，最后出壳的那只鸭子跟别的小鸭子不一样，他长得又大又丑。鸭妈妈瞧了他一眼，说："这只小鸭大得吓人，他是我的孩子吗？"

第二天，天气十分晴朗，鸭妈妈带着她的孩子们来到了养禽场。这里有很多鸭子，他们看到丑小鸭，议论起来："瞧，那只小鸭真难看！"有一只鸭子扑过去，在丑小鸭的颈上啄了一下。

"请你们不要啄他，"鸭妈妈说，"他并没伤害谁呀！""对，只不过他长得太丑了，"啄他的那只鸭子说，"因此他要挨打！""他虽然长得不好看，但是脾气很好，游水也比别人好，我想他会长漂亮的。他在蛋里躺得太久了，因此模

样有些不太自然。"鸭妈妈说着，给他梳理了一下羽毛，"而且，他还是一只公鸭呢！"鸭妈妈说，"他的身体很结实，将来会有出息的。"

可怜的丑小鸭，他感到非常悲伤，只因为自己长得丑，成了全体鸡鸭的嘲笑对象。

终于有一天，他越过篱笆逃走了。他闭起眼睛，一口气跑到一块沼泽地。他在那儿躺了一整夜，因为他太疲劳、太委屈了。

后来，有两只大雁飞来。啪！啪！天空中发出一阵响声，这两只大雁落到芦苇里死了。整群大雁都从芦苇里飞起来，原来是猎人来了。这时，猎狗从泥泞里跑过来，这对丑小鸭来说，实在是件可怕的事，他把头藏进翅膀里。凶猛的大狗伸出长长的舌头，用鼻子在丑小鸭身上闻了闻就跑开了。丑小鸭叹了口气，说："我丑得连猎狗都不想咬我！"他又安静地躺了下来。

直到天黑时，四周才恢复平静。可怜的小鸭站起来望望四周，急忙跑出了沼泽地。他跑到一间简陋的农家小屋前，从空隙钻了进去。

屋子里有一个老太婆和一只猫咪、一只母鸡。

第二天早晨，他们发现了小鸭。"这是怎么回事？"老太婆说，"真是运气好！我将有鸭蛋吃了，我只希望他不是一只公鸭才好！我们得弄清楚！"就这样，丑小鸭在这里经受了3个星期的考验，可是他什么蛋也没有生下来。

丑小鸭坐在墙角，心情非常不好。这时他

想起了新鲜的空气和阳光。

他心中有种奇怪的渴望，想到水里游泳，于是丑小鸭来到了河塘。他一会儿在水面游泳，一会儿钻进水底。不过，因为他长得太丑，所有的动物都瞧不起他。

秋天来了，树林里的叶子变黄了，风卷着树叶在空中飞舞。

一天晚上，当太阳西落时，一群漂亮的大鸟从灌木林里飞出来。丑小鸭从没见过这么美丽的鸟儿。他们的羽毛白得发亮，颈子又长又软，美丽的长翅膀真是太漂亮了。原来他们是一群天鹅。丑小鸭心中有一种说不出的兴奋，他的头颈高高地伸向他们，发出了异常响亮的叫声。啊！他再也忘不了这些美丽而高贵的鸟儿了。

冬天的天气越来越冷，水面渐渐结起冰来。丑小鸭不停地游着，最后终于昏倒了，他跟冰块结在一起。

一大清早，一个农夫看到了他，于是把他抱回家，送给了妻子。丑小鸭渐渐地恢复了知觉。小孩子们想跟他玩，不过丑小鸭以为他们要伤害他，他惊慌地跳到牛奶盘里，把牛奶溅得满地都是。农妇惊叫起来。丑小鸭又飞到奶油盆里，然后又飞进面粉桶里，最后才爬出来。屋里乱做一团，丑小鸭逃出了屋子，钻进灌木林中新下的雪里。

他在这严冬里受了很多磨难。当温暖的太阳又开始照耀大地

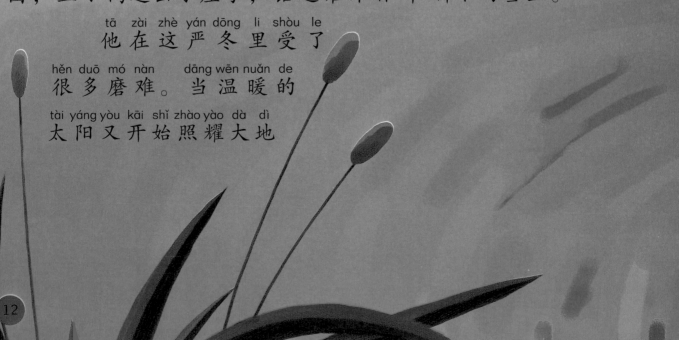

de shí hou　　　tā zhèngtǎng zài zhǎo zé dì de lú wěi li　　měi lì de chūn tiān lái le
的时候，他 正 躺 在 沼泽地 的 芦苇 里。美丽 的 春天 来 了。

hū rán jiān　　　tā jué de chì bǎng pāi qǐ lái bǐ yǐ qián yǒu lì le　　　hěn kuài jiù
　忽然 间，他 觉得 翅膀 拍 起来 比 以前 有力 了，很快就

tuō zhe tā fēi le qǐ lái　　tā bù zhī bù jué fēi jìn le yī zuò dà huā yuán　　zhī měi
托 着 他 飞 了 起来。他 不知不觉 飞进 了 一 座 大 花园，3 只 美

lì de bái tiān é cóng shù yīn xià yóu guò lái　　tā men de yǔ máo fà chū sōu sōu de xiǎng
丽 的 白天鹅 从 树荫 下 游 过来。他们 的 羽毛 发出 嗖嗖 的 响

shēng　　chǒuxiǎo yā rèn chū le zhè xiē měi lì de dòng wù　　xīn li yǒu yī zhǒngshuō bù chū
声。丑小鸭 认出 了 这些 美丽 的 动物，心里 有 一 种 说 不 出

de nán guò
的 难过。

wǒ yào fēi xiàng nà xiē gāo guì de niǎor　　tā men yī dìng huì bǎ wǒ dǎ sǐ de
　我 要 飞向 那些 高贵 的 鸟儿！他们 一定 会 把 我 打死 的，

yīn wèi wǒ zhǎng de zhè me chǒu　　bù guò　　bèi tā men dǎ sǐ　　zǒng bǐ bèi yā zi
因为 我 长得 这么 丑。不过，被 他们 打死，总 比 被 鸭子

yǎo　　bèi jī qún zhuó　　bèi nǚ yōng tī hǎo
咬、被 鸡群 啄、被 女佣 踢 好

13

得多！于是他飞到水里，向美丽的天鹅游去。这些动物们看到他，马上就竖起羽毛向他游过来。请你们打死我吧！可怜的丑小鸭把头垂到水面上，等待着死亡。

但是他在这清澈的水面上看到了自己的倒影。那不再是一只粗笨的、深灰色的、又丑又令人讨厌的鸭子，而是一只天鹅！只要是一只天鹅，就算出生在养禽场里，又有什么关系呢？过去他遭受那么多的不幸和苦难，但是他现在感受到了幸福和美好。天鹅们都游过来亲他。

花园里来了几个小孩。他们向水里撒下许多面包片和麦粒。最小的孩子喊道："看啊！来了一只新天鹅！"大家都说："这只新来的天鹅最漂亮！那么年轻，那么好看！"那些老天鹅不禁在他面前低下头来。

他感到非常难为情，把头藏进翅膀里，不知怎么办才好。他太幸福了，可是他一点儿都不骄傲，因为一颗美好的心是永远不会骄傲的。他竖起羽毛，伸出细长的头颈，从内心发出一个快乐的声音："当我还是一只丑小鸭的时候，我做梦也没有想到会拥有这么多的幸福！"

拇指姑娘

Muzhi Guniang

从前有一个女人，她想要一个身形小巧的孩子。她去请教巫婆，巫婆说："你把这颗大麦粒拿去，把它埋在花盆里，不久你的愿望就可以实现了。"

这个女人照办了。不久，花盆里长出一朵大红花。"这是一朵很美的花。"女人说着，在花苞上面吻了一下。这时，花苞突然开放了，里面坐着一位娇小的姑娘，长得白白嫩嫩的，很可爱，而且她还不到大拇指的一半长，于是大家就叫她拇指姑娘。

一天晚上，拇指姑娘在摇篮中睡得正香，一只又大又丑的癞蛤蟆跳进屋子。癞蛤蟆想："这姑娘真漂亮，可以给我儿子做媳妇！"于是她就背起拇指姑娘正睡着的摇篮，跳出窗子，一直跳到花园里去了。

癞蛤蟆的儿子长得跟他妈妈一样丑，而且只会

乱叫。老癞蛤
蟆对小癞蛤蟆说："讲话不要那
么大声啦，你会把她吵醒的。我们赶快把水下的那间房
子修好，以后那就是你们俩的洞房。"她怕拇指姑娘逃
走，就把她放在水中央一片很大的睡莲叶子上。

可怜的拇指姑娘一早醒来，看见自己的周围全是水，
不知是在什么地方，就不禁伤心地哭起来。小鱼们看见
这一切，很同情她，就趁两只癞蛤蟆不注意时，用牙齿

咬断了睡莲叶的叶梗，让拇指姑娘坐在叶子上漂走了。

拇指姑娘坐在叶子上漂啊漂，空中飞翔的一只金龟子发现了她。金龟子冲下来，抓住拇指姑娘细细的腰飞到树上去，所有的金龟子都聚集过来看她。那些金龟子小姐们说："瞧她的腰那么细，真是难看啊！""她只有两条腿，连触须也没有，一点儿也不像我们金龟子啊。"其实拇指姑娘很漂亮，抢她来的金龟子本来想娶她做妻子，可是听到大家都说她丑，也决定不要她了，于是把她放到一朵菊花上，再也不理她。

可怜的拇指姑娘就这样孤单地在森林里过了一个夏天。她用草叶为自己编了一张小床，把它挂在一片大树叶下，这样雨就不会淋到她的身上。她从花里取出蜜来做食物，她的饮料是每天早晨凝结在叶子上的露珠。

冬天来了，天气越来越冷，花儿都谢了，没有可吃的东西。她只好去敲一只田鼠的门，乞求一点儿食物，好心的田鼠收留了她。

过了几天，田鼠的邻居——鼹鼠来拜访。他看到拇指姑娘，很喜欢她，就特地挖了一条地道通到田鼠家，以便常来看望拇指姑娘。田鼠很高兴，对拇指姑娘说："你要是嫁给鼹鼠一定会幸福的。"可是拇指姑娘却很讨厌鼹鼠。

一天，鼹鼠告诉她，地道里有一只冻死的鸟儿。拇指姑娘过去一看，发现那是一只燕子，她很伤心，因为她非常喜欢鸟儿。晚上，她用干草编了一张毯子盖在燕子身上。不久，燕子醒了过来，原来他只是冻得失去了知觉，并没有死。

不久，鼹鼠向拇指姑娘求婚了。拇指姑娘哭着说她不愿意，因为她不喜欢住在地洞里，看不到外面的阳光和花朵。可是田鼠非要她答应不可，可怜的拇指姑娘只好向充满阳光的世界告别。她亲吻着一朵小红花，说："如果你看见燕子的话，请代我向他问好！"

"滴哩！滴哩！"忽然，她听到一个声音在她头顶上响起，原来正是那只她在地道里救活的燕子。她对燕子说："我不想嫁给鼹鼠，请带我离开这儿吧！"

于是燕子让拇指姑娘骑在自己的背上飞走了。他们飞过高山，飞过大海，来到一个温暖的国度，这里到处都是鲜花和绿树，真是美丽极了。

燕子把她放在一朵最美的白色鲜花上，花儿中央坐着一位小小的英俊男子，他正是花王子。他看到美丽的拇指姑娘，对她一见钟情，并向她求婚，希望她成为花儿的王后，拇指姑娘高兴地同意了。于是，他们在一起幸福地生活，直到永远。

豌豆上的公主

Wandou Shang De Gongzhu

很久以前，有一位英俊的王子，他想娶一位真正的公主做妻子。可是，国王和王后为他挑选了许多公主，他都不满意。

有一天晚上，阴沉的天空忽然电闪雷鸣，大雨如瓢泼般倾泻下来。国王与王后准备去休息。忽然，他们听到王宫门外传来叩打门环的声音。

开门一看，风雨里站着一位姑娘，雨水沿着头发和衣服流了下来，她的样子非常狼狈。

可是，她对国王和王后说："我是一位真正的公主。"

王后走进专门为来访公主们准备的卧室，撤下床上所有的被褥，只留下光光的床板，然后从衣袋里掏出一粒小小的豌豆，轻轻地将它放在床板上。随后，她又叫人从大橱柜中拿出20张床垫和20床柔软无比的鸭绒被，把它们全都铺在了公主睡觉的床上。

王后走出公主的卧室，对公主说："请你睡在这间卧室中，床上的一切我都为您预备好了！"

第二天清早，王后便来到卧室问公主："你昨晚睡得如何？"

公主十分不快地说："这一夜，我简直无法入眠，总觉得床上好像有一个什么东西在硌着我，使我身上又疼又痒。"听完公主的话，王后心中一阵惊喜，她想：这回王子可以如愿以偿了。因为，只有真正的公主才能感觉到那压在20张床垫和20床鸭绒被褥下的那粒小小的豌豆。不然，怎么会有那么娇嫩的肌肤呢？

最高兴的要数王子了，他终于找到了一位真正的公主做妻子。

海的女儿

Hai De Nü'er

在大海的深处，生长着最奇异的树木和植物。所有的大小鱼儿在中间游来游去，像是天空中的飞鸟。最深的地方就是海王的宫殿。海王有6个女儿，最小的女儿最美丽。她跟其他人鱼公主一样，没有腿，下半身是一条鱼尾。

小美人鱼特别喜欢听有关人类世界的故事，她常常让老祖母讲给她听。慈祥的老祖母说："等你满了15岁，我就允许你浮到海面上去。你可以坐在月光下的礁石上，看树林和城市，看巨大的轮船从身边驶过。"

小美人鱼的姐姐们都已经去过水面上了。她们回来后讲述了各自最难忘的经历，一切听起来是那样的美好。

"啊，我多么希望自己已经15岁了！"小美人鱼说。等啊等，这一天终于来到了。老祖母将一个百合花环戴在了小美人鱼的头上，那不是普通的百合花，每一朵花瓣都是半颗珍珠。戴上它，就是大女孩了，可以自由地升到海面上。小美人鱼高兴极了，她告别祖母，向水面游去。

当小美人鱼把头伸出海面的时候，海非常平静。太阳刚好落下去，天边的云霞放射着淡红色的光芒。不远处停着一艘大船，点着彩色的灯笼，有美妙的音乐声从里面传出来。小美人鱼朝那儿游去，每当浪尖把她托起来时，就可以透过窗玻璃看到里面的情景。

船里正在祝贺王子的16岁生日。王子站在正中央，他有一双美丽的黑眼睛，小美人鱼喜欢他微笑的样子。

不知过了多久，浪越掀越大，一团乌云聚拢过来。音乐停了，灯笼熄了，水手们慌张地忙着收帆，可怕的风暴要来了。

天空变得漆黑，什么都看不见。这时，一道闪电划破夜空，小美人鱼看见船已经断裂成两截，正向海底沉去。小美

人鱼真为王子担心，她朝风暴中心游过去，一心只想赶到王子的身边。王子就要被淹死了，这时，小美人鱼及时赶到，把他的头托出水面，带着他往岸边游去。

天渐渐亮了，一片陆地出现在眼前，岸边不远处有一幢白色的建筑。小美人鱼把王子送上沙滩，然后急忙回到海里。她游到一个大礁石后面，看看王子会怎样。这时，一个年轻的女孩从那幢白色的屋子走出来，她看到沙滩上的王子，非常吃惊，跑回去叫来许多人。小美人鱼看到王子渐渐苏醒，向年轻的女孩微笑。小美人鱼有点儿难过，因为王子不知道是她救了他。她悲伤地离开了。

从海面回来，小美人鱼变得沉静而忧伤。她问老祖母："人类会永远活下去吗？"祖母说："哦，不，他们的生命比我们要短得多。我们可以活300岁，不过当我们的生命结束时，就会变成水上的泡沫。人类则有一个不灭的灵魂，即使身体化成了泥土，灵魂也活着，升向晴朗的天空，变成闪耀的星星。""难道我没有办法得到一个不灭的灵魂吗？"小美人鱼问。"只有当一个人爱你，把他全部的思想和爱情放在你身上，答应和你过一生的时候，他才能分给你一个人类的灵魂。但是人必须有两根呆笨的支柱，人类把它们叫腿！"老祖母说。

小美人鱼看了一眼自己的鱼尾，悲哀地叹了一口气，她多希望变成人啊！为了得到王子的爱情，她愿意牺牲一切。

一个黄昏，小美人鱼决定去找海巫婆。"美丽的公主，你想什么我都知道。"海巫婆恐怖地怪笑几声，说，"我可以煎一服药给你，你只要在天亮前游上海滩，把药吃掉，你的尾巴就能分做两半，变成世界上最漂亮的两条腿。可是以后你每走一步路，都会像走在刀尖上一样痛苦。如果你能忍受这种痛苦，我就帮你。""我可以忍受。"小美人鱼毫不犹豫地回答。"还有，"海巫婆说，"你一旦获得了人的形体，就再也不能变回人鱼。假如你得不到王子的爱情，那么你就会在他和别人结婚后的头一个早晨，变成水里的泡沫。还有，你要给我酬劳，在海底，你的声音是最美的，你必须用最好的东西和我交换！我要割下你的舌头。"小美人鱼颤抖了一下，答应了。

海巫婆把药递给她，割掉了她的舌头。小美人鱼再也不能说话了，她离开了海巫婆的屋子，回到父王的宫殿。她深情地望着王宫，然后浮出了深蓝色的大海。

小美人鱼到达王子的宫殿时，太阳还没有升

起。她坐在大理石台阶上喝下了海巫婆的药水，立刻觉得仿佛有一把刀劈进了她的身体，她在剧痛中晕了过去。

当她醒来时，年轻英俊的王子正站在她的面前。她的鱼尾已经不见了，换上了一双美丽的白腿。王子问："你是谁？怎样到这儿来的？"小美人鱼不能说话，只能用眼睛温柔而悲哀地看着王子。王子牵着她的手，领她走进宫殿，正像海巫婆说的，她的每一步都像是走在刀刃上。

她成了宫里最美丽的姑娘，她跳的舞蹈迷住了所有的人。王子特别喜欢她，但他从来没有娶她当王后的意思。"在你心中，最爱我吗？"当王子把她抱在怀里时，小美人鱼用眼睛询问。"在我周围，你是我最爱的！"王子说，"你很像那个海滩上救我的女孩。她是这个世界上我唯一爱的人，可惜不知道在哪里可以找到她。""是我救了你啊！"小美人鱼说不出声音来，只好深深地叹了一口气。

不久，王子要去临国访

问，人们传说他要娶邻国国王的女儿为妻。

"我不会娶她的！我不爱她，我爱的是那个海滩上的女孩。如果让我选，我宁愿选你，因为你最像那个我爱的人！"王子对小美人鱼这么说。小美人鱼相信他说的，他们一起上船，驶往临近的王国。

一上岸，国王为王子举办了盛大的宴会。王子惊喜地发现，公主就是那个海滩上救他的女孩。王子幸福极了，他们举行了盛大的婚礼。

婚礼结束后，新郎新娘起程回国。船在海上行驶，小美人鱼跳起了舞。她的舞步从来没有这么轻盈、美丽。跳舞的时候好像有刀子在砍她细嫩的脚，但她并不感觉痛，因为她的心更疼。

王子挽着新娘走进华丽的帐篷，小美人鱼站在甲板上。她用手臂倚着船舷，向东方凝望，等待晨曦的出现。这时，她看到她的姐姐们手牵手，从波涛中涌现。她们的长发被剪掉了。

姐姐们说："我们从海巫婆那儿用头发为你换来一把刀子，你把它插进王子的心窝，他的热血流到你的脚上，你的脚就能重新变成鱼尾，就可以回到海里。在太阳出

来以前，不是他死，就是你死！"

她们把尖刀扔上甲板，便沉入浪涛里。

小美人鱼捡起刀子，掀开帐篷的帘子。美丽的新娘睡在王子的怀中，他们是那么幸福。小美人鱼在王子清秀的面庞上吻了一下。

朝霞渐渐变得明亮起来，就在这时，小美人鱼把刀子远远地向浪花里扔去。然后她从船上跳进了海里，她的身躯融化成泡沫。

太阳升起来了，阳光温暖地照耀着冰冷的泡沫。小美人鱼并没有死，她随着玫瑰色的云朵，升入天空。她用无私的真爱获得了一个不灭的灵魂，变成了天空中最闪亮的星星。

皇帝的新装

Huangdi De Xinzhuang

从前有一个皇帝，非常喜欢穿好看的新衣服，每天都要换很多套。

有一天，两个骗子来到皇宫。说他们能织出世界上最美丽的布，这种布不仅色彩和图案非常好看，还非常神奇，凡是愚蠢的人都看不见它。

皇帝听了骗子的话，心想：太好了！这样我就可以辨别出哪些是聪明人，哪些是傻子。他付给这两个骗子很多钱，让他们马上开始工作。

两个骗子摆出两架织机，装作是在

30

工作的样子，可是他们的织机上什么东西也没有。他们请求皇帝发一些最好的生丝和金子给他们，其实他们把这些东西都装进了自己的腰包，却假装在空空的织机上忙碌地工作，一直到深夜。

过了几天，皇帝想知道布织得怎样了，就派一位老大臣去那里看一下。这位善良的老大臣到了那两个骗子的工作地点，他们正在空空的织机上忙忙碌碌地工作着。这是怎么一回事？老部长想，把眼睛睁得有碗口那么大。那两个骗子请求他走近一点儿，然后指着那两架空空的织机问他，布的花纹是不是很美丽，色彩是不是很漂亮。可怜的老大臣的眼睛越睁越大，可是他还是没看见什么东西。

我的老天爷！他想，难道我是一个愚蠢的人吗？不成，绝不能让人知道我看不见布料。"啊！真是美妙极了！"老大臣说，他戴着眼镜仔细地看，"多么美的花纹！多么美的色彩！是的，我将要呈报皇上说我对于这布感到非常满意。"事实上

31

他也就这样办了。

又过了几天，皇帝想亲自去看一次。他选了一批官员和他一起去。

他们到了那两个狡猾的骗子住的地方，这两个家伙正装模作样地织布呢。这是怎么回事？皇帝心想，我什么也没有看见！难道我是一个愚蠢的人吗？这真是我碰见过的一件最可怕的事情。"啊，它真是美极了！"皇帝说，"我非常满意！"

其他的大臣也什么都没看见，但是他们可不想让别人知道，也照着皇帝的话说："啊，真是美极了！"他们建议皇帝用这种新奇、美丽的布料做成衣服，穿上它去参加游行大典。

皇帝赐给骗子每人一个爵士的头衔和一枚勋章，还封他们为"御聘织师"。

游行大典第二天早晨就要举行。头天晚上，这两个骗子假装把布料从织机上取下来，用两把大剪刀在空中裁了一阵子，同时又用没有穿线的针缝了一通。最后，他们齐声说："请看！新衣服缝好了！现在请皇上脱下衣服，我们要在这面大镜子前为陛下换上新衣。"

皇帝把身上的衣服统统脱掉，这两个骗子假装把新衣服一件一件给他穿上。皇帝在镜子面前转了转身子，扭了扭腰肢。

"上帝，这衣服多么合身啊！式样裁得多么好看啊！"大家都说，"多么美的花纹！多么美的色彩！这真是一套贵重的衣服！"

皇帝穿着这身华丽的衣服举行游行大典，全城的老百姓都来观看。大家都说："乖乖，皇帝的新装真是漂亮！真是合身！"谁也不愿意让人知道自己看不见衣服，因为怕别人说自己太愚蠢。

"可是他什么衣服也没有穿呀！"一个小孩子最后叫出声来。"上帝啊，你听这个天真的声音！"孩子的爸爸说，于是大家私下里议论起来。

皇帝有点儿发抖，因为他似乎觉得老百姓所讲的话是对的。不过他自己心里却这样想：我必须把这游行大典举行完毕。因此他摆出一副更骄傲的神情，他的侍臣们跟在他后面，手中托着一个并不存在的后摆。

卖火柴的小女孩

Maihuochai De Xiaonühai

今天是除夕，是一年中的最后一夜。在这样一个天寒地冻的夜晚，一个赤着脚的小女孩在街上走着。她家里很穷，只能靠卖火柴来挣一点儿钱。

今天早上，她还穿着一双拖鞋，那是一双特别大的鞋，是她妈妈的。当她穿过街道时，有辆马车飞快地向她冲来，在慌乱中，她把鞋子跑丢了。其中一只无论如何也找不到了，另一只被一个小男孩抢跑。那个顽皮的男孩说等他将来有了孩子，就把这只鞋当摇篮。

她的脚被冻得又红又青，在她的旧围裙兜里，装着许多火柴，冻得通红的小手里也握着一束。在漫天飞舞的雪花中，她已经没有力气叫喊。一整天，没有一个人买她的火柴，她连一个铜板也没挣上。

她哆哆嗦嗦地走着，一头金黄卷曲的长发，随意地披散在肩上。洁白的雪花飘落在头发上，使她看上去就像童话故事里的小公主。街道两边的窗户里放射出温暖的灯光，街面上飘散着浓郁的烤鹅的香味。

　　她实在走不动了，就在两座房子间的一个角落里坐下
来，蜷缩成一团。可是，她仍然感觉不到丝毫的暖意，
反而觉得更加寒冷。她不敢回家，因为没有挣到一个铜
板，脾气暴躁的父亲一定会狠狠地揍她。而且，家里的房
子四处漏风，也一样的寒冷。

　　可怜的小女孩用失去知觉的小手抽出一根火柴，在
墙上擦了一下。哧！火柴燃起，冒出温暖的火焰！她的
双手小心翼翼地拢着这宝贵的火苗，觉得自己好像已

经坐在一个热烘烘的火炉前。火烧得那么旺，烤得都冒汗呢！她伸了伸脚，想让脚也暖和一下。但是，在那一瞬间，手中的火焰熄灭了，眼前的那个通红的火炉也消失不见了。

小女孩赶紧又擦燃一根火柴，那美丽的火焰在手中闪闪发亮。她靠着的那块墙壁仿佛变得透明，她好像看见房间的桌子上铺着雪白的台布，上面放着精致、洁净的盘子和碗，还有香气逼人的烤鹅。那只背上插着刀叉的鹅，突然从盘子里跳下来，迈着蹒跚的步子向她走来。正当她打算尽情地享用美餐时，火柴熄灭了。她面前除了一堵又厚又冷的墙以及漫天飞舞的雪花之外，什么也没有！

可怜的小女孩第三次擦燃火柴，她觉得自己正坐在一棵美丽的圣诞树下，绿色的树枝上燃烧着几千支蜡烛，还悬挂着许多闪闪发光的美丽图画，跟挂在商店橱窗里的那些东西一样。可怜的小姑娘想摸一摸那些可爱的礼物，可是，她刚把手伸出去，火柴就熄灭了。而且，那圣诞树上的烛光越升越高，突然变成了无数明亮的小星星。其中有一颗星星落下来，在天空划出了一道长长的红线，非常美丽。

小女孩自言自语道："有一个人要死去了！"因为老祖母曾经对她说：当天上落下一颗星星的时候，地上就会有一个人死去。慈祥的老祖母是世界上唯一对她好的人，可惜，她已经去世，再也不能疼爱她了。

可怜的小女孩又擦燃一根火柴，火柴把周围的一切都照亮了。慈祥的老祖母竟然出现在亮光中，看上去是那么和蔼可亲。小女孩兴奋地叫了起来："奶奶！请把我带走吧！我明白，当火柴熄灭的时候，你也会消失的，会像那温暖的火炉、美丽的烤鹅、幸福的圣诞树一样从我的眼前消失！"

为了留住慈祥的祖母，她急忙把剩下的所有火柴都擦亮。火柴发出强烈的光芒，就像白天一样。慈祥的老祖母笑容可掬地弯下腰，把可怜的小女孩抱在怀里。慢慢地，她们两个在光亮和快乐中冉冉上升，越飞越高。她们飞到那没有寒冷没有饥饿也没有忧愁的地方去了！

第二天早上，新年的太阳升起。人们发现，有一个小女孩坐在一个墙角里，已经被冻死。她的嘴唇上挂着一缕幸福的微笑，手里握着烧过的火柴梗。温暖的阳光照在她那小小的冰冷的身体上，看上去是那么可怜！

人们说："可怜的小女孩，肯定是想让自己暖和一下！"

谁也不知道小女孩临死前看到了什么，她已经和祖母一起飞到幸福快乐的天国去了，那里一定很温暖。

39

梦神

从前，有一位梦神，他的名字叫奥列·路却埃，意思是"闭起眼睛"。小孩子们都很喜欢他，因为他可以将他们带到奇妙的梦里去，遇到各种各样有趣的事。

梦神的衣服很漂亮，颜色一会儿发红，一会儿发绿，一会儿发蓝。他有很多伞，每逢他来到孩子们身边时，都带一把伞。对听话的好孩子他会张开一把神奇的花伞，使他们一整夜都能梦见美丽的故事；对淘气的孩子他会张开一把什么画面都没有的伞，于是这些孩子就睡得非常糊涂，夜里什么梦也没有做。

在一个星期一的晚上，梦神到一个叫哈尔马的孩子家。他轻轻来到哈尔马的床前，向哈尔马吹了口气，就进入了哈尔马的梦中。他对哈尔马说："我给你的房间变个样儿好不好？"

哈尔马高兴地说："太好了！"

只见梦神向窗台招了招手，花盆里的花儿都变成大树，树枝从天花板下沿着墙伸展开来，使整个屋子看起来像一个美丽的花亭。这些树枝上开满花，美丽无比，而且发出香甜的气息。

这时，哈尔马的书包里传来吵架的声音。

梦神打开书包，原来是算术本在嚷："真倒霉！哈尔马太马虎了，在我的身上写了很多错误的算术题。"

语文作文本也叫起来："哈尔马在我身上写的字母全是歪歪扭扭的，真难看！"

梦神听了他们的话，对哈尔马说："你真让我失望，我不想给你这样的孩子讲故事。"说完，一转身走了出去。

第二天一大早，哈尔马想起梦中的事，很惭愧，他打开书包，把算术本和语文作业本都找出来，重新做了一遍作业。这一次，他做得十分认真仔细，一点儿错也没有。

这天晚上，梦神又来到哈尔马的房间。他观察了一下哈尔马的书包，再也没有吵闹的声音，梦神满意地笑了。

他向床头墙上的画吹了一口气，画框中的鸟儿就飞了出来，落在哈尔马面前。

梦神和哈尔马坐在鸟儿背上，这只神奇的鸟儿飞得

极快，哈尔马吓得把眼睛闭起来，双手紧紧地搂着鸟儿的脖子。一会儿，他们来到一个美丽的地方。绿茵茵的草地上开着鲜艳的野花，一片清澈的湖水泛着微微的波纹。

那儿有一条由6只天鹅牵引的小船。他们上了船，小船悠悠地向前行驶，6只头顶金冠的天鹅用长长的嘴衔着金色的绳索，拉着船走得很稳。小船的后边紧随着一群快乐的小鱼，它们蹦蹦跳跳地逗着哈尔马玩耍。

小船漂过一片树林，再往前行驶，便看见了一座金碧辉煌的宫殿。远远望去，宫殿的阳台上有几个小公主在向他们招手。

他们下了船，向公主

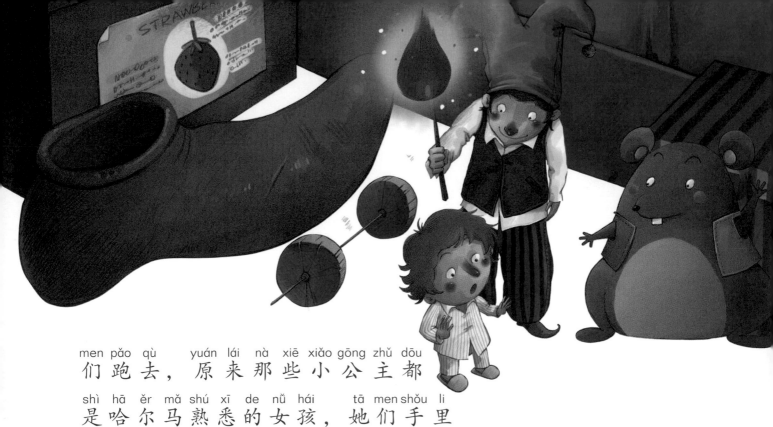

men pǎo qù yuán lái nà xiē xiǎo gōng zhǔ dōu
们跑去，原来那些小公主都
shì hā ěr mǎ shú xī de nǚ hái tā men shǒu li
是哈尔马熟悉的女孩，她们手里
ná zhe yòng táng chuī chéng de xiǎo dòng wù zhè shǐ tā xiǎng qǐ zì jǐ de yī gè bǎo mǔ
拿着用糖吹成的小动物。这使他想起自己的一个保姆，
tā yě jīng cháng gěi hā ěr mǎ mǎi hǎo chī de dōng xi hé hǎo wánr de wán jù tā duì
她也经常给哈尔马买好吃的东西和好玩儿的玩具。他对
mèng shén shuō wǒ xiǎng huí qù kàn wǒ de bǎo mǔ
梦神说：“我想回去看我的保姆。”

hā ěr mǎ zhēng kāi yǎn jing fā xiàn tiān yǐ jīng liàng le
哈尔马睁开眼睛，发现天已经亮了。

xīng qī sān de wǎn shang xià qǐ le dà yǔ mèng shén dǎ kāi chuāng zi ràng
星期三的晚上，下起了大雨。梦神打开窗子，让
dà yǔ guàn jìn lái yī huìr wū li jiù biàn chéng le wāng yáng mèng shén bǎ dài lái
大雨灌进来，一会儿屋里就变成了汪洋。梦神把带来
de zhǐ chuán fàng zài shuǐ shang chuī le yī kǒu qì xiǎo zhǐ chuán lì kè biàn chéng le mù
的纸船放在水上，吹了一口气，小纸船立刻变成了木
chuán tā men zuò shàng mù chuán qù háng xíng
船。他们坐上木船去航行。

mù chuán shǐ jìn dà hǎi tiān kōng zhōng fēi lái yī duì guàn niǎo cháng cháng de
木船驶进大海，天空中飞来一队鹳鸟，长长的
duì liè pái de hěn zhěng qí tā men xiàng nán fēi kàn shàng qù hěn pí láo de yàng zi
队列排得很整齐。他们向南飞，看上去很疲劳的样子。
hū rán yī zhī xiǎo guàn niǎo cóng kōng zhōng diē xià lái gāng hǎo luò zài chuán tóu
忽然一只小鹳鸟从空中跌下来，刚好落在船头。

哈尔马把鹳鸟带回家，放进鸡笼，他想，这样鹳鸟就不会感到寂寞了。

鹳鸟被放进鸡笼后，大公鸡昂着头傲慢地问："你是谁？到这儿干什么？"鹳鸟谦和地说："我叫鹳鸟，我的家在遥远的非洲。回家的路上因为疲劳过度，不得不休息一下，但我还要回到家乡去。"鸡们哪里知道还有什么叫非洲的地方，所以，他们认为鹳鸟是一个傻瓜。

哈尔马看到这情景，对鸡的行为很生气。他打开鸡笼，把鹳鸟放了出来。鹳鸟拍拍翅膀，向哈尔马点头致谢，展翅飞上天空，一会儿就看不见了。

哈尔马转过脸来对鸡们说："你们太无知，明天我就把你们拿来烧汤喝。"

他这时想起梦神，四处寻找，不知不觉就醒了。

星期四的晚上，梦神要带哈尔马去参加一对老鼠的婚礼。梦神在哈尔马身上喷了一口有魔力的奶，他马上就变得只有指头那么大。

他们先穿过地下的一条长长的通道，整条路用火柴照着，然后来到举行婚礼的大厅。在屋子的中央，新郎和新娘站在一个空的乳饼圆壳上。

婚礼结束后，所有参加婚礼的耗子都认为婚礼很棒，招待也非常令人满意。

哈尔马回到家里，一眨眼天就亮了。

星期五的晚上，梦神带哈尔马到小时候去过的田野玩。田野里的景色很美，大片的油菜花迎风摇摆，蜻蜓和蝴蝶在田野上空追逐着。哈尔马醒了，他揉揉眼睛，又是新的一天。

星期六的晚上，梦神对哈尔马说："今天，我不能陪你了。"哈尔马不解地问："为什么呀？"

梦神说："明天是星期天，可却是我们忙碌的日子。我要做许多事情，为人们解除一周的疲劳，让明天展现在人们面前的是一个清新的世界。"

哈尔马听了梦神的话，理解地点点头，他一觉睡到天亮。

星期天，梦神带来一个人。那人是他的弟弟，也叫奥列·路却埃。梦神说："我的弟弟也会讲故事，不过，他只能讲两个故事，一个是好听的故事，一个是恐怖的故事。听了好听的故事，人会变得快活、幸福；听了恐怖的故事，人就会被吓死。"

哈尔马听了，心里很紧张。梦神对他说："别担心，他不会随随便便就给人讲恐怖故事的。他每天骑着马在大地上奔跑，如果有不爱惜生命、不珍惜时间的人，他就会停下来给那人讲一个恐怖的故事，那人就死了。所以，人们也把我弟弟叫死神。"

哈尔马听了梦神的话，就说："我明白你的意思。我会做一个珍惜时间、好好儿学习的人。这样，你的弟弟就会给我讲好听的故事，而不是恐怖的故事了。"

梦神说："你真聪明，你已经懂事了。"

坚定的锡兵

Jianding De Xibing

从前，有25个锡兵，他们都是用同一把旧锡汤匙浇铸的。他们穿着整齐的军装，肩上扛着枪，目光坚定地望着前方，很威风。他们全待在一个匣子里。

有一天，他们被送给一个小男孩做生日礼物。小男孩高兴地把他们摆在桌子上。

这些锡兵中有一个与众不同，他只有一条腿，因为他是最后一个被浇铸出来的，锡不够用。不过他用一条腿坚定地站着，和那些两条腿的锡兵一样神气。

桌子上还有许多玩具，其中最抢眼的要算一座纸做的宫殿。宫殿四周有一些小树，一面镜子算是一个湖，蜡做的天鹅在上面游着。宫殿门口站着一个姑娘，她是纸做的，穿着一条透明的花布衣裙，肩上有一条窄窄的蓝色长围巾，围巾的正中有一块亮闪闪的金片。她是一位舞蹈家，双臂伸展，把一条腿高高地抬起，高得让独腿的锡兵都看不见。他以为她和自己一样也只有一条腿。

她要是能做我的妻子就好了！锡兵想，不过她很高贵，住在一座宫殿里，而我只有一个盒子，还是25个人一起住，但我还是要想办法认识她。于是，他站在一个鼻烟盒的后面，从那儿他能清楚地看到她。

晚上，屋里的人都睡了。玩具们开始做游戏，胡桃夹子翻着跟头，石笔在石板上乱画，大家吵吵闹闹地跑着、跳着。唯一站在原地不动的是那个独腿的锡兵和小舞蹈家。小舞蹈家直挺挺地用足尖站着，双手向外伸；锡兵同样稳定地用一只脚站着，眼睛一刻也没离开她。

时钟敲了12下，咔嚓一声，鼻烟盒的盖子开

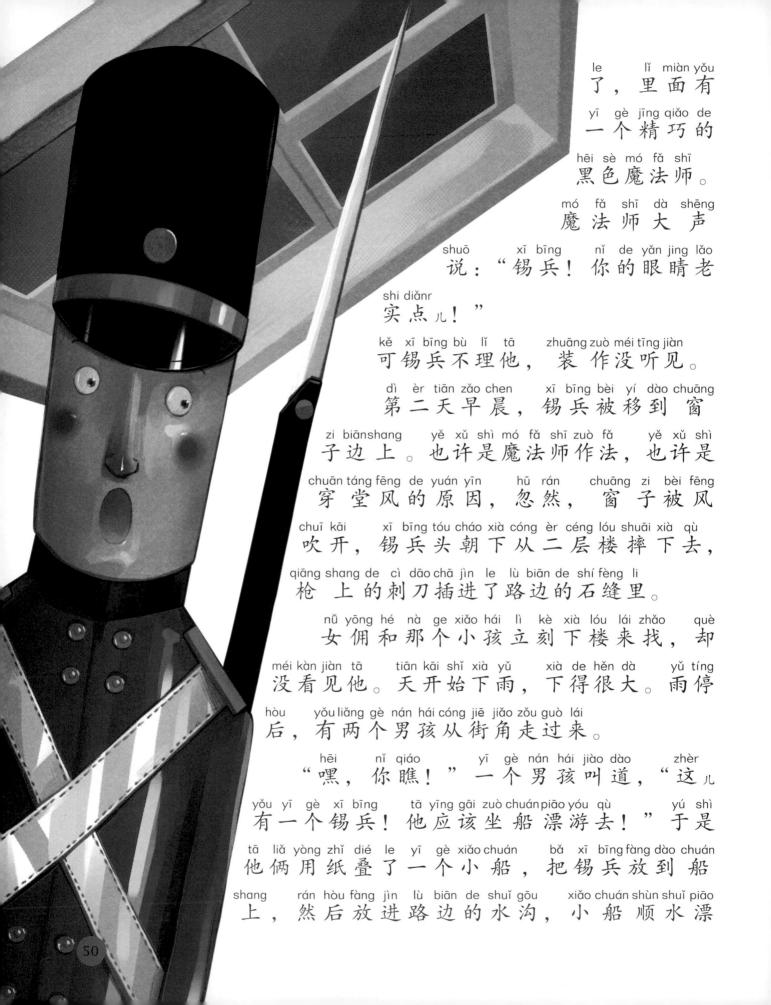

了，里面有一个精巧的黑色魔法师。

魔法师大声说："锡兵！你的眼睛老实点儿！"

可锡兵不理他，装作没听见。

第二天早晨，锡兵被移到窗子边上。也许是魔法师作法，也许是穿堂风的原因，忽然，窗子被风吹开，锡兵头朝下从二层楼摔下去，枪上的刺刀插进了路边的石缝里。

女佣和那个小孩立刻下楼来找，却没看见他。天开始下雨，下得很大。雨停后，有两个男孩从街角走过来。

"嘿，你瞧！"一个男孩叫道，"这儿有一个锡兵！他应该坐船漂游去！"于是他俩用纸叠了一个小船，把锡兵放到船上，然后放进路边的水沟，小船顺水漂

50

了下去。

纸船忽上忽下地随着水浪上下涌动，有时被水冲得直打转，但锡兵仍然很坚定，脸上的表情丝毫不变，两眼望着前方，枪扛在肩上。

突然，小船漂进一条很长的阴沟里，里面漆黑一片。一只住在这儿的老鼠跑过来，"你有通行证吗？"老鼠问，"把通行证拿出来！"

可锡兵一动不动，仿佛没听见一样。小船冲了过去，老鼠在后面猛追。他咬牙切齿地冲着树枝断草喊："捉住他，捉住他！他没有交通行证！"

水越流越急，锡兵很快看见阴沟尽头的亮光，同时他也听到了一声巨响，那声音真让人心惊肉跳。在阴沟的尽头，水流一下子跃进一条大河里。

小船猛地冲了过去，打了三四个转后，水就漫进了船舱，水已经没到锡兵的脖子，他的神情依然坚定。很快，水没过了锡兵的头顶。他想，自

己再也见不到那位可爱的小舞蹈家了。但他的表情依旧坚定，毫不畏惧地对自己说："冲啊，战士！迎着死亡向前冲！"

锡兵沉到了水里，就在那一瞬间，他被一条大鱼吞进肚里。不过锡兵还是十分坚定，牢牢地扛着他的枪。

过了一会儿，鱼开始撞来撞去，拼命地摇摆身体，最后不动了。原来这条鱼被捕住，送到市场上卖掉，然后被带进了厨房。一把大刀割开鱼的肚皮，锡兵被两个指

头夹住腰取了出来，放到桌子上。

世界上竟会有这样巧的事！锡兵回到了他原先的屋子。他看见从前的那个孩子，桌子上的玩具都在，还有可爱的小舞蹈家，她依旧用一只脚站着，另外一只脚高高地翘在空中，她也很坚定。

锡兵感动得要流出泪来，但他是一个坚定的士兵，所以他坚定地看着她，她也看着他，他们什么也没有说。

突然，小孩把锡兵丢进火炉里。这一定是魔法师施展的法术，锡兵想。

锡兵站在炉火中，浑身被照得透亮。他看着小舞蹈家，她也回头望着他。

锡兵觉得自己在熔化，但他还是坚定地站着。突然，小舞蹈家像一个精灵一样直接飞进火炉，飞到锡兵身旁，化成了一道火焰，消失了。

第二天，当女仆把炉灰倒出去的时候，她发现锡兵已经成了一颗小小的锡块。那个小舞蹈家呢，只剩下了肩上的那块金片。

那个锡块，一定是锡兵的心。

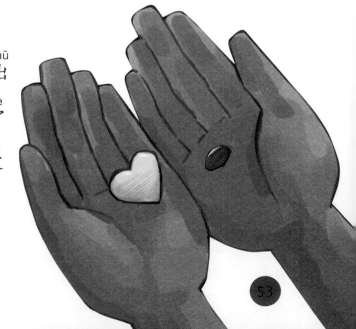

夜莺

Yeying

在很久以前的中国，有一个皇帝，他拥有世界上最华丽的宫殿。他的御花园里长满了珍奇的花儿，花儿上系着银铃，风吹过叮当作响。

在花园的深处有一片树林，林中住着一只夜莺，他的歌声非常美妙。

世界各国的旅行家都来到这位皇帝的首都，参观美丽的皇城、宫殿和花园。不过，他们都不忘赞美夜莺，认为他是世界上最美的东西，他的歌声最能打动人心。他们回国后，写了许多书，书中总是要提到夜莺。

后来，有几本书流传到中国，到了皇帝手中。他坐在金椅子上，读了又读，书中赞美皇宫的话让他看了非常舒服。

书中说，皇宫花园中的夜莺是世界上最美的东西。皇帝看后说："我怎么一点儿也不知道有这么一只鸟儿，居然还住在我的花园里！"

他把侍从叫来，大骂一顿，下令："今晚必须把他弄到这儿来！如果没来，宫里所有的人都要挨棍子！"

侍从们吓得赶紧去找，宫里到处都找遍了，也没有夜莺的影子。最后，厨房里一个穷苦的小女孩说："每天晚上回家，经过树林，总能听到夜莺唱歌。一听到他的歌声，我的眼泪就会流出来，好像母亲在吻我似的！"

宫里一半的人都跟在她的后面，往那片树林走去。

走着走着，一头母牛叫了几声。

"哦！"一位年轻的贵族说，"我们总算找到他了，他的声音的确洪亮！"

女孩说："错了，这是牛！咱们离那片林子还远呢。"

走着走着，沼泽地里的青蛙叫了。

祭祀官高兴地叫起来："现在我听见了，他听起来像庙里的钟声！"

女孩说："错了，那是青蛙的叫声！"

又走了一会儿，不远处传来夜莺的鸣叫。

"这才是！"女孩指着树枝上一只灰色的小鸟儿说，"听啊，他唱得多好听！"

"他多么平凡呀。"宫里的人半信半疑。

一个侍从跑上前，彬彬有礼地对夜莺说："我荣幸地通知你，皇帝命令你到宫中参加一个晚会。你要把你美妙的歌声献给皇上。"

"我的歌只有在树林里才唱得最好。不过，看在小女孩的面子上，我还是去一趟吧。"夜莺说。

这时的宫殿已经被装饰一新，皇帝坐着的大殿中央，竖起一根金柱，好让夜莺在上面站着。整个宫廷的人都来了。

皇帝点点头，夜莺开始歌唱。

他唱得非常动人，皇帝感动得流出了眼泪。他下令把自己的金拖鞋挂在夜莺的脖子上作为奖赏。

夜莺谢绝了，说："我看到了皇上的眼泪，我的报酬已经不低了。"

皇帝把夜莺留在宫里，为他准备了金制的鸟笼。他每天只有3次散步的自由，而且还总有12个仆人跟随，他们牵着一根系在夜莺腿上的丝线。

一天，皇帝收到一个大包裹，拆开来，是一件工艺品——一只人造夜莺。

人造夜莺也是一只小鸟儿，不过它的全身满是青玉、红玉和钻石。只要把发条上紧，它就能唱歌，同时它的尾巴会上下摆动，射出金色和银色的光。

"太美了！"皇帝赞不绝口。

人造夜莺在宫里引起了更大的轰动，因为它的外表很漂亮。

人们尝试让真夜莺和人造夜莺表演二重奏，可是行不通，因为真的夜莺是按自己的方式随意唱；人造的那只只会唱一首歌。

于是人造夜莺反复地演唱那一支曲子。

当它唱到第三十三遍时，真夜莺悄悄地飞出大厅，回到了青翠的树林里。

人造夜莺取代了真夜莺的位置，它甚至更得皇帝的宠爱，住在皇帝床边的一块丝垫子上，它的脚下放满了金子和宝石。

一天夜里，当皇帝躺在床上听人造夜莺歌唱的时候，夜莺身体里忽然发出一阵咝咝的声音，歌声慢慢停止了。

皇帝找来一个钟表匠，他说，夜莺肚子里的齿轮已经过度磨损，无法换新的，以后这只鸟不能天天唱歌了，一年顶多只能唱一次。

没有夜莺美妙的歌声，皇帝病倒了。

一天深夜，皇帝突然惊醒，看见死神坐在自己的胸口。他很害怕，需要歌声赶走死神！

皇帝对人造夜莺说："请你唱歌吧。现在就唱吧！"

夜莺站在那儿一动不动，因为没有谁来替它上发条，不上发条就没法唱歌。死神用他空洞的大眼睛继续瞪着皇帝，可怜的皇帝几乎不能呼吸。

正在这时，窗外传来清脆明丽的歌声，真的夜莺站在窗前的树枝上，为皇帝唱起了表达安慰和希望的歌。唱着唱着，皇帝心脏的跳动有力了；唱着唱着，四周游荡的幽灵离去了；唱着唱着，死神变成一股寒冷的白雾，消逝在夜空。

皇帝说："你赶走了死神，我该怎么报答你呢？"

"你已经报答过了！"夜莺说，"我曾得到过你的眼泪。每一颗眼泪都是一颗珠宝，因为这说明你内心是有感

情的。"

他又唱起来，在温柔的歌声里，皇帝甜蜜地睡着了。

皇帝恢复健康后，对夜莺说："你以后就永远留在我身边，为我唱歌好吗？"

夜莺说："对不起，我不能只为一个人歌唱，我要为天下所有的人歌唱：为渔夫歌唱，为农夫歌唱，为幸福的人歌唱，也为受难的人歌唱。请让我远行吧。我将来还会回来为您歌唱的，歌唱您身边的善与恶，让您快乐，也让您思考。这样不是很好吗？"

皇帝答应了他。于是，夜莺飞出了皇宫，飞向了广阔的世界。

笨汉汉斯

Benhan Hansi

从前，有一位年老的庄园主。他有3个儿子，老大和老二都自认为非常聪明。他们听说国王的女儿要找一个最聪明的人做丈夫，于是都想试一试。庄园主给这两个儿子每人一匹漂亮的马。这时，第三位少爷来了。他叫汉斯，因为他不像两个哥哥那样有学问，大家都叫他"笨汉汉斯"，两个哥哥都看不起他。

笨汉汉斯也想去，可父亲不肯给他马，他就骑上一头公山羊，在公路上跑起来。他的两个哥哥在前面骑得很斯文，正在考虑见到公主时该讲些什么，他们准备用世界上最美丽的词句来打动公主的心。

笨汉汉斯追上他们，给他们看他拾到的一只死乌鸦。"我要把它送给公主！"笨汉汉斯说。哥哥们大笑着，骑着马继续走。一会儿，笨汉汉斯追上来，他捡到一只旧木鞋，也打算送给公主。兄弟两个又大笑一通，

61

继续骑马前进。没一会儿，笨汉汉斯又在后面喊道："喂！事情越来越好！""你又找到了什么东西？"两兄弟问。

"啊，"笨汉汉斯说，"公主肯定会非常高兴的！"两个哥哥一看说："那不过是沟里的一点儿泥巴罢了。""一点儿也不错。"笨汉汉斯说。他把袋子里装满了泥巴。

两个哥哥向前飞奔，他们足足比笨汉汉斯早一个钟头来到城门口。他们一到，马上拿到一个求婚者的登记号码。大家排成几排，挤得那么紧，连手臂都无法动一下，谁都想娶到尊贵的公主。可是，那些求婚者一走进房间里，就变得非常紧张，连话都说不好。"真没用！"公主说，"滚开！"可怜的求婚者就这样一个一个地被赶出去。

轮到老大了。每个窗子旁边站着3个秘书和一位参议员。他们把人们所讲的话全都记了下来，准备在第二天的报纸上发表。火炉里烧着旺盛的火，把烟囱管子都烧红了。"这地方热得要命！"老大说。"因为我的父亲今天要烤几只鸡呀！"公主说。老大呆呆地站在那儿，一句话也讲不出来。"一点儿用也没有！"公主说，"滚开！"于是他只好走开。现在老二进来了。

"这儿真是热得可怕！"他说。"我们今天要烤几只鸡。"公主说。"什么——什么？"老二说。同时那几位秘书一齐写着：什么——什么？"一点儿用也没有！"公主说，"滚开！"

现在轮到笨汉汉斯了。他骑着山羊一直走到房间里来。"这儿真热得厉害！"他说。"是的，因为我正在烤鸡呀。"公主说。"啊，真是好极了！"笨汉汉斯说，"我这儿有一只乌鸦，正好放在一起！""欢迎你烤，"公主说，"不过你用什么东西烤呢？""这儿有一个锅，上面还有一个洋铁把手。"笨汉汉斯说。于是他取出那只旧木鞋，把乌鸦放进去。"这足够我们大吃一顿！"公主说，"不过我们从哪里去找酱油呢？""我衣袋里有的是！"笨汉汉斯说着，就从衣袋里倒出一点儿泥巴来。"这真叫我高兴！"公主说，"你很会讲话，我愿意你做我的丈夫。不过，你所要讲的和已经讲过的每句话都被记下来，而且明天就要在报纸上发表。你看，每个窗子旁站着3个秘书和一个老参议员。"

"这就是所谓的绅士！"笨汉汉斯说，"那么我得把我最好的东西送给这位参议员了。"于是他把衣袋翻转过来，对着参议员的脸撒了一大把泥巴。公主哈哈大笑说："你真聪明，太有趣了。我自己就做不出来，不过很快我也可以学会的。"

笨汉汉斯就这样成了一个国王，得到了一个妻子和一顶王冠，高高地坐在王位上面。

小伊达的花

Xiaoyida De Hua

小伊达的花儿快要死了。"她们昨天晚上还很美，可是现在全都凋谢了！为什么会这样呢？"她难过地问一个大学生。"这些花儿昨天晚上去参加舞会啦。"大学生说。

"花儿是不会跳舞的呀！"小伊达说。"会，"大学生说，"天一黑，我们都睡觉了，她们就围成一个圈，快乐地跳个不停，天天夜里都有舞会！""真有趣！"小伊达笑着说。她多想亲眼看看花的舞会呀。

夜晚，小伊达来到一张漂亮的桌子前，那里有她的玩具。她的娃娃索菲亚正躺在小床上睡觉，小伊达对她说："索菲亚，今天晚上在抽屉里睡吧。那些可怜的花儿生病了，让她们睡你的床也许会好起来！"然后她就把索菲亚放到抽屉里。

小伊达把花儿放在小床上，给她们盖上小毯子，然后她也上床了，很快便进入了梦乡。半夜，她醒了。"不知道花儿们还在不在床上？"她自言自语地说。于是她爬起来，这时好像听到屋子里有钢琴声，美妙极了，小伊达从来没有听过这么好听的声音。

"一定是花儿在跳舞！"她说。于是小伊达爬下小床，悄悄地走到门口，向屋子里望去。啊，眼前的情景多么有趣呀！房间里没有灯光，月亮透过窗户把屋里照得就像是白天一样。所有的风信子和郁金香都在地板上排成行，花儿们围在一起，快乐地跳着舞。钢琴前坐着一朵很大的百合花，她随着音乐的节拍点着头。那些生病的花儿也爬了起来，快乐地跳起舞。

忽然，抽屉里发出很大的声响，小伊达的那些玩具也跳了出来，参加到舞会当中，热闹极了。这时，一大群非常漂亮的花儿跳着舞从大厅进来，最前面的是两朵玫瑰，他们头上戴着小小的金冠，这是国王和王后，后面跟着紫十字花和石竹，她们带来了乐队。花儿们互相亲吻着，真是太快乐了！

最后，舞会结束了，花儿们互相说了晚安，于是小伊达也回到床上。在梦中，她又见到了刚才的一切。

野天鹅

Yetian'e

在遥远的地方，有一位国王，他有一个女儿名叫伊丽萨。伊丽萨还有11个哥哥，他们在一起过着幸福的生活。

可是没过多久，国王娶了一个恶毒的王后。她把伊丽萨送到乡下，又用魔法把王子们变成11只野天鹅，他们便从王宫的窗户飞走了。在经过妹妹伊丽萨住的农舍时，他们使劲地拍打着翅膀，可是没有人听到，于是他们不得不飞向远方。

日子一天天地过去，伊丽萨15岁了，她回到王宫。王后看到美丽的伊丽萨，又嫉妒又憎恨。于是就在她的身上和脸上抹上难看的黑油，又把她的头发弄乱。这样连老国王也认不出自己的女儿，他把可怜的伊丽萨撵出了王宫。

悲伤的伊丽萨去寻找哥哥们。她不停地走着，一直走进树林里。夜晚来临时，她迷了路，就躺在柔软的草地上睡着了。萤火虫像星星一样，在她的周围照耀着。

伊丽萨醒来后，太阳已经高高地升起，她走到水边，清澈的湖水映出了她又黑又丑的脸，把她吓了一跳。可是当她把脸洗干净，换好衣服后，世界上再也没有比她更美丽的公主了。

伊丽萨继续向前走，她穿过森林，走过沼泽，来到大海边。在太阳快要落山的时候，她终于看见11只头戴金冠的野天鹅从头顶飞过，于是伊丽萨跟在他们的后面。天黑后，野天鹅变成11位英俊的王子。伊丽萨高兴地扑到他们的怀里，他们拥抱在一起，又哭又笑。

最年长的哥哥说："我们只有在太阳落山后，才能恢复人形。明天我们就要离开这里，整整一年后才能

再回来。我们可以把你带上飞过大海。"

于是他们用柳树皮和蒲草编了一个又大又结实的网，伊丽萨躺了进去。太阳升起的时候，哥哥们又变成了野天鹅，他们用嘴衔着网，高高地飞上云端。就这样他们飞过大海，飞过高山，飞到了一个美丽的宫殿，那是莫甘娜仙女住的地方。

夜晚，伊丽萨恳请仙女能在梦中告诉她解救哥哥们的办法。仙女被她的真诚打动，于是告诉她，只有用教堂坟地里长的荨麻搓成绳子，再编织成11件长袖披甲，把他们披到11只野天鹅身上，魔法就会消失。但是从做这件事开始到完成，伊丽莎都不能说话，只要她说一个字，哥哥们的心脏就会被一把锋利的匕首刺穿。

伊丽莎醒来后，就开始用娇嫩的手采摘那些可怕的荨麻。它们像火一样，她的手和胳臂全被毒出了大水泡，她把采摘来的荨麻用脚踩烂，然后把它们搓成绳子。为了哥哥们，她心甘情愿地忍受这些痛苦。太阳落山后，哥哥们回来看见这一切，都心疼地哭了。

就这样，每天哥哥们飞走后，伊丽莎就坐在那里拼命地干活儿。有一天，一个国王到这儿打猎，看到美丽的伊丽莎，并且爱上了她。国王带着伊丽莎回到王宫，娶她做新娘。伊丽莎也深深地爱上了国王，可是她不能说话，只是不停地织着披甲。

在她开始织第七件的时候，荨麻用完了。夜晚，她穿过小巷和寂静的街道，来到教堂的坟地采摘毒荨麻，然后背回王宫里。因此，很多人都说她是邪恶的女巫。

时间久了，国王也开始怀疑伊丽莎。这时，只剩下一件披甲没有完成，可是荨麻又用完了，她必须再去采摘。

国王悄悄地尾随在她的后面，看见她走进了教堂的坟地。国王不得不相信传言是真的，于是伊丽萨被关进地牢，判处了火刑，可是她仍然不停地织着披甲。

到了行刑的那天，伊丽萨还在搓着荨麻，她的手里编织着第十一件披甲。这时，11只野天鹅飞来落在了车上，围着她，扇动着巨大的翅膀。她急忙把11件披甲披在野天鹅身上，11位英俊的王子出现在眼前。

"我终于可以讲话了，"伊丽萨说，"我是无罪的！"接着，最年长的哥哥说明了发生的一切。国王拥抱了心爱的伊丽萨，他们从此过着幸福美满的生活。

牧羊女和扫烟囱的人

Muyangnü He Saoyancong De Ren

有一个老木柜，从上到下都雕有玫瑰和郁金香。在柜顶的中央刻着一个人像，他笑着坐在那里，样子十分滑稽：长着一双山羊腿，额头上有小角，一把长胡须。他还有个奇怪的名字：公羊腿——上将下将总司令官兼军士。这真是一个很难念的名字。

他总是看着镜子下面的桌子，因为那儿有一个瓷做的非常美丽的牧羊女。她穿着一双金色的鞋子，衣服上有一朵红玫瑰，戴着金帽子，拿着一只牧羊杖，漂亮极了！在她身旁站着一个扫烟囱的青年。他也是瓷的，不过黑得像一块炭。他拿着梯子站在那里看起来挺潇洒。他和牧羊女很般配，所以他俩订了婚。不远处还有一个会点头的中国老瓷人。他说他是牧羊女的祖父，却又拿不出证据。他让牧羊女嫁给"公羊腿——上将下将总司令官兼军士"。

"我可不想进到黑漆漆的柜子里去！"牧羊女说，"我听说柜子里还有他11个瓷太太呢。"

"那你可以做第12个呀！"中国老瓷人说，"今天晚上就结婚！这事就这么定了。"说完，他就睡觉去了。

牧羊女伤心地哭了，她看着心爱的扫烟囱的人说："求你带我走吧，我们去外面的世界！"

"我都听你的，"扫烟囱的人说，"我们现在就走！"

于是他们顺着桌腿爬下来，就在这时，

"公羊腿——上将

74

下将总司令官兼军士"发现了他们，他冲着中国老瓷人喊道："他们逃跑啦！他们逃跑啦！"

中国老瓷人醒了，摇晃着身子。"他来了！"牧羊女叫起来，她非常害怕。

"你决定随我到外面大世界去吗？"扫烟囱的人问，"我们可能再也不回来了。"

"我想好了。"她说。

"那我们从烟囱爬出去！"

于是他们来到壁炉的门口。沿着漆黑的烟囱一直爬到屋顶，在烟囱边他们坐了下来。天空布满了美丽的星星，脚下是家家户户的屋顶。放眼望去，世界是那样的广大。可怜的牧羊女从来没有想到外面的世界会是这样，她靠在扫烟囱的人身上哭了。

"我受不了啦！外面的世界太大了！我要回到我的小桌子上去。"她说。

于是，扫烟囱的人只好带着牧羊女又回到屋子里。他们站在壁炉的门口偷偷地往大厅里看。大厅里很安静，忽然他们看到中国老瓷人躺在地上。原来刚才追他们的时候，他从桌子上跌了下去，碎成了3块。

"太可怕了！"牧羊女后悔地说，"老祖父摔成碎片了，都是我们的错！"

"他会被修好的！"扫烟囱的人说，"修好后又会和新的一样，说不定还会数落我们一番的！"于是他们爬回到桌子上，站在原来的地方。

后来老瓷人真的被修好了，像新的一样。只是他再也不能点头了，因为他的头被一颗钉子固定在身体上了。

"您摔碎后变得高傲了！""公羊腿——上将下将总司令官兼军士"说，"我到底娶不娶她呢？"

扫烟囱的人和牧羊女紧张地望着中国老瓷人，他们很害怕他会点头，但这是不可能的。于是扫烟囱的人和牧羊女终于结了婚，他们很感激中国老瓷人身上的钉子。从此他们相亲相爱地过日子，一直到现在。

打火匣

· Dahuoxia ·

yī gè shì bīng zài huí jiā de lù shang　pèng dào yī gè wū pó　tā ràng shì
一个士兵在回家的路上，碰到一个巫婆。她让士
bīng pá jìn yī kē kōng de dà shù li
兵爬进一棵空的大树里。

wū pó shuō　shù dǐ yǒu　dào mén　zài dì yī jiān wū zi　yǒu yī tiáo yǎn jing
巫婆说："树底有3道门，在第一间屋子，有一条眼睛
xiàng liǎng zhī chá bēi yī yàng dà de gǒu　zhè lǐ dōu shì tóng qián　rú guǒ nǐ xiǎng yào yín
像两只茶杯一样大的狗，这里都是铜钱。如果你想要银
bì　kě yǐ jìn dì èr jiān wū zi　nà lǐ dūn zhe yī tiáo yǎn jing dà de xiàng mò pán de
币，可以进第二间屋子，那里蹲着一条眼睛大得像磨盘的
gǒu　rú guǒ nǐ xiǎng yào jīn bì　jiù jìn dì sān jiān wū zi　nà lǐ yǒu yī tiáo
狗。如果你想要金币，就进第三间屋子，那里有一条
liǎng zhī yǎn jing dà de xiàng yuán tǎ yī yàng de gǒu　zhǐ yào bǎ gǒu bào dào wǒ de wéi
两只眼睛大得像圆塔一样的狗。只要把狗抱到我的围
qún shang　tā men jiù bù huì shāng hài nǐ
裙上，它们就不会伤害你。"

tīng qǐ lái bù cuò　shì bīng shuō　bù guò　wǒ ná shén me gěi nǐ ne
"听起来不错！"士兵说，"不过，我拿什么给你呢？"
yī gè jiù de dǎ huǒ xiá　wū pó shuō
"一个旧的打火匣。"巫婆说。

yú shì shì bīng pá jìn shù dòng　bǎ shēnshang zhuāng mǎn le jīn bì　ná shàng
于是士兵爬进树洞，把身上装满了金币，拿上
dǎ huǒ xiá　rán hòu wū pó bǎ tā lā le shàng qù
打火匣。然后巫婆把他拉了上去。

shì bīng xiǎng zhī dào zhè ge dǎ huǒ xiá néng zuò shén me　kě wū
士兵想知道这个打火匣能做什么，可巫
pó bù gào su tā　shì bīng shēng qì de bǎ tā de tóu kǎn le
婆不告诉他，士兵生气地把她的头砍了
xià lái　tā dài shàng qián hé dǎ huǒ xiá jiù jìn le
下来。他带上钱和打火匣就进了
chéng　shì bīng tīng shuō yǒu yī wèi piào liang de gōng zhǔ
城。士兵听说有一位漂亮的公主，

除了国王，谁也不能见到她。

一天，他拿出打火匣，打了一下，眼睛大得像两只茶杯一样的狗跑了出来。士兵知道怎么用这个打火匣了：打一下，守着铜币的狗就会出现；打两下，守着银币的狗就会来；打三下，看金币的狗就会出现。

于是他说："我想见见那位漂亮的公主。"

不一会儿狗把公主带回来了。公主在狗的背上沉沉地睡着，她太美了，士兵忍不住亲了她一下。天亮之前，狗又把公主送了回去。

早晨，公主对王后说，夜里梦到骑在一条大狗的背上，一个士兵吻了她。

王后是个很聪明的女人，她在一个袋子里装满很细的荞麦粉，把它系在公主的身上，然后在袋口上扎了一个小洞，这样荞麦粉就会随公主一路撒出去。

第二天一大早，国王就抓住了士兵，要把他绞死。

当士兵被押上绞刑架时，他说很想抽最后一袋烟。于是士兵拿出他的打火匣，打了3下，3条大狗一

起出现在他面前。

"不要让我被绞死！"士兵说。刚说完，大狗们就跑到大法官和陪审团那里，把他们扔向天空。

国王和王后都吓坏了，他们喊道："小士兵，你做我们的国王吧！"于是，士兵当上了国王，还娶了美丽的公主，那3条大狗一直陪伴着他。

79

红舞鞋

Hongwuxie

从前，有一个名字叫珈伦的小女孩。她有一双大大的眼睛，一头金黄色的长发，非常漂亮可爱。

小珈伦在很小的时候父母便去世了，家里非常穷，穷得甚至连一双鞋都没有。夏天她赤脚走路，到了冬天，穿一双木头鞋。这种鞋又重又硬，把她的脚背都磨破了。

一天，一位老太太坐在一辆很大的旧马车里，看到小珈伦在冰天雪地里穿得又破又旧，便停下来，问她为什么这么冷的天还一个人呆在外面。小珈伦对老太太说自己是一个孤儿。

于是，老太太问道："你愿意跟我走吗？我以后会照顾你的。"小珈伦高兴地点点头，便跟着老太太上了车。

老太太给小珈伦买了一双棉鞋，还给她换上了干净漂亮的衣服。从此，小珈伦的生活好起来，她开始学做一点儿针线活儿，空闲的时候，还能读一读童话故事。

有一天，皇后带小公主出行，小珈伦也挤在人群里看热闹。她看到小公主和自己年龄差不多，但穿得却是那么漂亮，还微笑着优雅地向人们挥手。小珈伦发现小公主的脚上穿着一双红舞鞋，非常好看。突然，小珈伦觉得，这个世界上无论什么东西也不如红舞鞋好。

她多么渴望能得到一双红舞鞋呀！

一天，老太太带她到鞋店去买鞋。在一个大柜子的玻璃架上，正放着一双红舞鞋，与小公主穿的那双简直一模一样。

小珈伦很喜欢这双鞋，于是老太太便为她买下了这双红舞鞋。

下午，老太太带她去教堂。小珈伦穿着红舞鞋，心里美滋滋的。当大家一起歌唱上帝的时候，她一心想着自己漂亮的红舞鞋，什么也没有唱。

在回家的路上，老太太生气地对小珈伦说："穿红鞋去教堂是对上帝的不尊重，以后再去教堂只准穿黑鞋。"

又一个礼拜天，要去教堂时小珈伦换上了黑鞋，但是她看了看旁边的红鞋，还是忍不住又把红鞋穿上了。

教堂门口有一位大胡子的老兵，他说，这鞋上沾了许多土，我帮你擦擦吧。于是小珈伦抬起脚，老兵在她的鞋底上敲了两下，说："多么漂亮的红舞鞋啊，穿着它跳起舞来一定非常动人。"

听完这话，小珈伦就觉得特别想跳舞。她试着跳了一下，不料，就再也停不下来。人们硬是把她抱上马车送回家去，她在马车上也不停地跳着，无意中她的脚狠狠地把老太太踢了一下，她赶紧脱下了那双红舞鞋。

老太太回到家就病倒了，而且病得很严重。

一天，城里要举行一次盛大的舞会。小珈伦觉得留在家里照顾老太太没有意思，她非常想去参加舞会。她想：我只穿一下总可以吧。不料，红舞鞋一穿到脚上，她便无法控制自己，跳着舞就去了。

夜深时，所有的人都散去了，只有小珈伦还在那里不停地跳着，她想停也停不下来。她从舞厅跳到院子里，最后一直跳到一座黑森林里。

在那里，她又看到了长着大胡子的老兵，老兵对她说："啊，多么美丽的红舞鞋呀！"

这时，小珈伦感到有些害怕，她想脱掉脚上的红舞鞋，可是怎么也办不到，那双鞋已长在她的脚上了。她只好不停地跳舞，从这里跳到那里，从这片田野跳到那座山冈。

一天夜里，她又跳回教堂门口，忽然看见天使手里握着长剑对她说："你这样跳下去吧！你到那些骄傲自大的孩子们住的地方去跳吧，让他们一听到你就害怕，一见到你就做噩梦。去吧！不停地跳舞吧！"

小珈伦恳求天使说："请饶恕我吧！"可是天使没有理她，转身飞走了。

有一天，小珈伦遇到一队人，他们抬着一口棺材。这时她才知道，她的那位恩人老太太已经死了。人们都看不起小珈伦，说她是一个忘恩负义的人。

她漫无目的地继续跳舞，朝荒野的荆棘丛中跳去，尖刺扎得她双脚流血，悔恨的泪水开始在她心中流淌。

一天，她来到一个刽子手家的门外，对里面大声喊道："请帮帮我吧，请你把我的双脚砍下来吧！"

刽子手走出来问她有什么罪过，她便把自己的罪过告诉了他。

刽子手说："这好办！"他操起斧头，很干脆地把小珈伦的两只脚砍掉。仍穿着红舞鞋的那双掉在地上的脚，还在不停地跳舞！一直跳到远方的森林里去了。

刽子手为小珈伦配了一双木脚和一根拐棍。

小珈伦感激地说："这双红舞鞋使我吃尽了苦头。现在我要到教堂去，忏悔我的罪过，好让人们重新认识我。"

小珈伦的话刚说完，天使来到她的面前，手里拿着一朵玫瑰花。小珈伦问："可爱的天使，上帝会原谅我吗？"

天使说："是的，你可以回教堂里去，人们也会原谅你！"说完，天使飞走了。

小珈伦忽然发现自己又长出了新的双脚，她高兴极了，感到无比的幸福。

玫瑰花精

Meiguihuajing

花园的中央有一丛玫瑰花树。在盛开的玫瑰花中，最美丽的那一朵里，住着一个玫瑰花精。

玫瑰花精肩上长着一双翅膀，飞起来像小天使一样好看，玫瑰花瓣就是他的房间。

这天，玫瑰花精在温暖的阳光中嬉戏，他在花朵间飞来飞去；在大大小小的叶子上散步；在飞翔的蝴蝶翅膀上跳舞。不知不觉，太阳已经落山。糟糕！他回不去了，因为天一黑，所有的玫瑰花都闭上了。

玫瑰花精想起花园另一边有个亭子，长满了金银花。也许能想办法钻进其中的一朵，一直睡到天明。他朝亭子飞去。

花亭里有一对恋人。他们紧贴在一起坐着，希望永远不要分开。"我们要分别一段时间了！"那个年轻男子说，"你哥哥派我去很远的地方办一件事。等我回来，你会成为我的新娘！"

姑娘拿出带在身边的一朵玫瑰花，送给他。

小花精赶紧飞了进去，他听见他们说"再见"。

回去的路上，一把锋利的尖刀从后面刺过来，杀死了年轻人。杀他的是姑娘的哥哥，他把年轻人的头砍下来，同他的身体一起埋在一棵菩提树下。

玫瑰花精藏在一片卷起的干菩提树叶里，坐在姑娘哥哥的帽子上，跟他一起回到家。

玫瑰花精飞到熟睡的姑娘耳朵里，把可怕的谋杀事件告诉了她，还说："千万别以为这只是一个梦！你可以在床上找到一片干菩提树叶为证！"

姑娘醒后，果然在床上找到了那片干叶子，她伤心地哭起来。玫瑰花精不忍心离开痛苦的姑娘。窗台上放着一盆月季，他坐在一朵花上，默默地陪着她。

天一黑，姑娘就跑到林子里，找到那棵菩提树。她拂开树叶，挖开土，年轻人的头和身体露了出来。姑娘舍不得把爱人留在冰冷的泥土中，就把尸体埋在一棵素馨花附近，把他的头连同一根素馨花枝带回家。

姑娘找来一个最大的花盆，把爱人的头颅埋了进去，然后栽上素馨花枝。她整天站在花盆前流眼泪，一天比一天憔悴。树枝却越来越绿，冒出许多嫩芽，长出许多花苞。姑娘伤心过度，一病不起。一天夜里，她平静地死了。死的时候，她做了一个非常甜蜜的梦。

她的哥哥把素馨花拿到自己的房间，紧靠在他的床边，他喜欢素馨花清新甜美的香气。玫瑰花精飞进去，找到花里的素馨花精，把发生的一切告诉了他们。

"我们都知道！"花精们用一种奇特的方式点着他们的头，"我们都是从被害者的眼睛和嘴唇里长出来的呀。"

玫瑰花精又飞向那些采蜜的蜜蜂,把恶毒哥哥的罪行告诉他们。蜂后下令蜂群第二天行动,惩罚谋杀犯。

于是就在姑娘死去的第一天晚上,坏哥哥睡着以后,每一朵素馨花都开了,花精们飞了出来,把复仇的毒剑刺向他的全身,让他在噩梦中痛苦地死去。

早晨,玫瑰花精和蜂后带着大群蜜蜂飞进窗户,发现坏人已经死了。

许多人围在床边,他们说:"素馨花的香气把他醉死了!"蜂后带领蜂群围着花盆飞舞,怎么也驱不散。

一个人过来搬走花盆,一只蜜蜂刺了他一下,那人手一哆嗦,花盆跌落在地,一个白色的头颅滚了出来。

大家这才知道,躺在床上的死者是一个杀人犯,他因为自己犯下的罪恶受到了应有的惩罚。

蜂群散去,玫瑰花精回到了玫瑰花中。每次想到那个可怜的姑娘,他还会流泪,玫瑰花瓣上最细小的露珠便是他的眼泪凝结而成的。

猪倌

Zhuguan

从前有一个王子，他不富裕，王国也很小，他已经到了结婚的年龄。邻国有一位公主，长得很漂亮，也到了结婚的年龄。王子决定派人去向公主求婚。

王子父亲的坟墓上长着一株奇特的玫瑰。它非常漂亮，而且每5年才开一次花，每次只开一朵。它散发出一种沁人心脾的芳香，任何人只要闻一下，所有的忧愁和烦恼就会全忘记。王子还有一只夜莺，它的歌声非常美妙，仿佛一切甜美的旋律都蕴藏在它的歌喉里。王子把这两件礼品分别装在两个大银匣子里，派使者送给公主。

当第一个匣子被打开时，大家都惊叹说，这朵花太可爱了！

kě shì gōng zhǔ shēn shǒu mō le yī xià jī hū yào kū qǐ lái tā shēng qì de
可是公主伸手摸了一下，几乎要哭起来。她生气地

shuō tā shì yī zhū zhēn de méi gui bìng bù shì shén me rén zào de
说："它是一株真的玫瑰，并不是什么人造的。"

guó wáng dǎ kāi lìng wài yī gè xiá zi kàn dào yī zhī yè yīng tā de gē chàng
国王打开另外一个匣子，看到一只夜莺，它的歌唱

de shí fēn měi miào dòng tīng shéi dōu shuō bù chū tā yǒu shén me bù zú de dì fang kě
得十分美妙动听，谁都说不出它有什么不足的地方。可

shì gōng zhǔ bù xǐ huan tā bù yǔn xǔ wáng zǐ lái jiàn tā
是公主不喜欢，她不允许王子来见她。

王子决定亲自去一趟。他把脸涂黑，换上一套普通的衣服，戴上帽子，来到那个国家。他被任命为国王的猪倌，住进猪栏旁边一间肮脏破烂的小屋里。白天他不停地干活儿，到了晚上，便开始制作一个精美的小锅。小锅的边沿装着一圈小铃铛，只要锅里的水煮开，小铃铛就叮叮当当地演奏一支古老的曲子。更奇妙的是，当你把手指头伸进小锅里冒上来的蒸汽中时，马上就会闻到城里任何一家的炉灶上煮的饭菜是什么味道。

一天，公主和她的侍女们从旁边经过，当她听到这支曲子时，就停住了脚步。她惊叹说："去问问那个猪倌这个要多少钱。"一个侍女奉命去问："你这口锅要卖多少钱？""我只想要公主的10个吻。"猪倌说。侍女回到公主那里，羞涩地对公主说："我真的说不出口。""你可以贴着我的耳朵悄悄说给我听。"公主说。于是侍女便把猪倌的话悄悄告诉了公主。

"他实在是粗鲁无礼。"公主说完，继续往前走。可是没走多远，铃铛又响了起来，声音十分甜美。"问问他，"公主说，"愿不愿意接受我的侍女给他10个吻。""谢谢了，我可不干！"猪倌回答，"我只想要公主的10个吻，不然我就不卖锅。"于是侍女们只好在公主的周围围成一圈，张开裙子挡住她，公主给了猪倌10个吻，换回了小锅。公主和侍女们玩得别提多开心啦！

猪倌没费多少时间，又做了一个拨浪鼓，只要将它转一圈，就能演奏各种美妙的舞曲。

从附近经过的公主说："去问问他，这个要什么价。""他要公主的100个吻。"侍女询问了猪倌以后，回来报告公主说。"他肯定是疯了。"公主说着走开，可很快又停下来。"去告诉他我愿意给他10个吻，还有90个吻可以让我的侍女给他。"她说。

可是猪倌坚持说，只要公主的100个吻，不然就不成交。于是侍女们围着公主，她便开始亲吻猪倌。

国王恰巧经过这里，看到很多宫女围在一起，心想：那一大群人究竟在干什么！他蹑手蹑脚地走上前去，侍女们都在忙着数吻到多少个。谁也没有注意到国王来到跟前，国王看到公主在吻猪倌。

"滚！别让我再见到你们两个！"国王勃然大怒地吼着，公主和猪倌都被撵出了他的王国，公主没想到会是这样。"哎呀！我真是太可怜，太不幸了！"她号啕大哭，"要是我嫁给那个王子就好了。"

　　猪倌走到一棵大树后面，把脸擦干净，换上王子的衣服，走了出来，他是那么英俊，公主情不自禁地朝他连连鞠躬行礼。王子说："你拒绝了诚实的王子，珍贵的玫瑰和夜莺你不喜欢，却喜欢一些无聊的玩具，而且还心甘情愿去吻一个猪倌。我看不起你！"说完王子回到自己的王国，一无所有的公主呆呆地留在那里。

钟声

Zhongsheng

有一天，在一个大城市的小巷里，人们忽然听到一种从来也没有听到过的钟声。那钟声好像很遥远，又好像很近，声音非常深沉洪亮。

人们把这奇怪的钟声当成一件新鲜事，一传十，十传百地传开了。没多久，整个大城市的人都知道了这件事。

奇特的钟声，好像是从城外大森林里的教堂中传来的。那浓密的大森林，在大家的心中产生了一种非常庄严的感觉。

人们都想亲自到森林去看一看。有钱的人坐上马车，穷苦的人迈着自己的两条腿。他们走呀，走呀，那路总也走不完。在森林中，他们静下来侧耳细听钟声时，却

告示

无论什么人，只
要能找到钟声的
发源地，就任命为
"世界的敲钟人"

国王.

又觉得那钟声是从城里传来的。

不久，国王也知道了这件事。他下了一道命令：无论是什么人，只要能找到钟声的发源地，就任命他为"世界的敲钟人"。

一天，一群孩子决定要到大森林中去寻找钟声，他们喊着、跳着出发了。走到半路上，两个年龄最小的孩子走不动了，便掉头回去，剩下的孩子继续往前走。

前面的树越来越密，要走下去可不是一件容易的事情。不远处出现一股泉水，水从石缝中流出，发出咕噜、咕噜的声音。

一个孩子听了大声喊道："这恐怕就是那钟声，我要认真研究一下。"说着他便留了下来，其他的孩子又继续前进。走了一会儿，他们看见一个用树皮和树枝盖成的房子，房子的墙壁上挂着一口小小的钟。于是他们一起喊了起来："那奇怪的钟声是从这口钟里发出来的！"

可是，他们中的一位男孩子却说，这么小、这么精巧的钟，肯定发不出那么洪亮的声音。那钟声十分特别，能够打动人心。大家一看，说话的是王子。

可是大家谁也不去理这位王子，让他自己独自往前走，去寻找那能打动人心的钟声。

王子自己继续前进。他越往森林里面走，越感到孤独，但他也越能听清钟声。他觉得这钟声是从人的心里发出的，他朝左边走去。

忽然，在王子的面前出现一个男孩，他穿着一件破旧的短上衣和一双木鞋。这个穷孩子被钟声所感动，觉得那是来自天国的钟声，于是也来寻找。

他们一左一右分别出发了：王子选择了一条比较好走的路，那里阳光灿烂，天地一片光明；那位穷孩子一直朝森林的深处走去，他全身都被尖锐的树枝划破，鲜血直流，但是他毫不

畏惧，继续在黑暗中摸索。

太阳渐渐落山了，森林里异常寂静安详。这时，王子拼命地爬上了一座高高的山崖，于是他看到了远处的大海。在无边的大海与天相接的地方，太阳正停在那儿，喷出一片火红的霞光，大海和森林正一齐唱着庄严的圣歌。王子明白了：整个大自然就是一座伟大而又神圣的教堂啊。这时，那位穷孩子从右边走了过来。他从黑暗中走出一条通往光明幸福的路。

在这同一时刻，穷孩子与王子在这里相遇了。天地是那么宽广，那么庄严。他们明白了：那钟声就是来自于内心的信念、来自于不断的追求。

妖山

—— Yaoshan ——

从前，有一个奇怪的地方叫妖山。白天谁也找不到它，只有当夜晚的月亮升到天空中的时候，才有机会瞧见它，但也不是所有的人都能看到它。

这一天，妖山上的妖王准备举行一场盛大的舞会，便派人去世界各地请那些最著名的人物。

一会儿，妖山的大门轰隆隆地打开，从里面跑出一位妖小姐，她

是妖王的一个亲戚，此时成
了妖王的总管家。她对夜乌鸦说："快去，把这些请柬
以最快的速度送出去！"

夜乌鸦听了，忙问："妖王打算请哪些人呀？"妖
小姐不耐烦地说："请柬上都写着呢。有海王和他的女
儿们，有长尾巴的大头魔鬼，还有河神和最有本领的小
妖精。老地精和他的两个儿子是舞会上最重要的人物，
妖王叮嘱必须把他们请来！"

夜乌鸦听完妖小姐的话，不敢有半点儿怠慢，立即用
最快的速度送请柬去了。

到了舞会的那一天，客人全到齐了。只见一群妖姑娘
在大厅翩翩起舞。她们的舞姿太轻盈了，犹如微风中的缕
缕炊烟。此时，妖王正坐在他宫殿大厅的正中。多么漂
亮的大厅啊！那地板每天都要用月光擦好多遍，亮得能
映出妖王脸上那乱糟糟的红胡子、黄胡子和蓝胡子。

妖王捋捋自己的三色胡子，大声地宣布今晚的舞会开始，又向众位来宾宣布，他的两个女儿已经到了结婚的年龄，在今晚的舞会上，她们要找两位称心如意的伴侣。来宾们都把目光投向老地精和他的两个儿子，大家都觉得妖王很喜欢老地精的两个儿子。

今晚老地精特意打扮了一番，他身穿熊皮大衣，头戴用冰块和松球做成的王冠。他的两个儿子却什么也没穿，只在腰间围了一个大布裙，看上去就像两个庄稼汉。

妖王走过来对他们说："让我给你们介绍我的两个漂亮女儿。"

老地精的两个儿子跟着妖王来到她们面前。其中较小的那个女儿身体轻得像月光一样，她对两个年轻人点点头，接着把一根白色的木棍放在嘴里，于是她立即消失了踪影，原来她是一位小魔法师。老地精的儿子一起说："我们不要有魔法的女人做妻子！"

这时，妖王的大女儿拿出一架大竖琴，用手弹一下琴，来宾们便抬起左腿，再弹一下，来宾们抬起右腿。大家必须按照她琴声的指示做动作。老地精的儿子又大声说："我们讨厌抬左腿，也讨厌抬右腿。"

妖王一看他们对这两个女儿不满意，便说："我还有5个女儿呢，你们再细心地挑一挑吧！"

妖王另外的5个女儿出来了，她们一个比一个漂亮。

这时，5个姑娘中的大姑娘说："我可不喜欢爱喝酒的男人。"老地精的两个儿子说：

"我们都爱喝酒！"这样，大姑娘就不可能嫁给老地精的儿子。

二姑娘说："我希望能找一位英俊的王子做我的丈夫。"老地精的两个儿子说："我们都不是王子，也不想当国王。"于是，二姑娘也嫁不出去了。

三姑娘说："我想嫁给一个非常有钱的人。"老地精的两个儿子说："我们都没有钱！"三姑娘叹了口气，退到一边去。

四姑娘说："我要住在最华丽的宫殿里。"老地精的两个儿子说："我们只有新鲜的空气和温暖的阳光。"四姑娘眨着一双美丽的眼睛说："最令我讨厌的就是阳光。"

最后五姑娘说："我姐姐们都不喜欢的人，我也不喜欢。"

正说着，老地精的两个儿子看到有几只野兔正趴在那里瞧他们。两个人来了兴趣，连招呼也不打，转身就追兔子去了。

妖王见一个女儿也没有嫁出去，有点儿失望。老地精劝他说："不要伤心，你的7个女儿会嫁出去的。明年我把我那两个聪明的儿子带来，他们一定会喜欢你的女儿们。"这时，妖小姐大声叫起来："快关窗子，太阳要出来了！"

山妖们纷纷动手去关窗子。那些来参加舞会的宾客们，此刻仿佛睡醒一样，马上跳起来，像一阵风似的从妖王的大厅里飞了出去。

妖王深深地叹了一口气，有气无力地说："唉，该死的太阳。现在我又该躲到黑暗里去了。"

妖王没有嫁出自己的女儿，只有等到明年举行盛大的舞会再说了。

小狐仙

Xiaohuxian

从前有一个学生，他非常穷，只好住在一间旧楼的顶楼里。另外有一个店主，开着一间杂货店，住在学生的楼下，他拥有这整栋房子。还有一只小狐仙跟这个杂货店店主住在一起，每年年底，也就是圣诞之夜，小狐仙都能得到一大碗麦片粥，里面还有一大块奶油。这个小狐仙为了能吃上又香又甜的粥，就一直住在这里。

一天夜里，那个穷学生想买一点儿食物和蜡烛。他付了钱买到了他想要的东西。学生注意起包着食物的纸来。因为这张纸是一本旧书的其中一页，好像是一本老诗集，看到这里，他叹了一口气，觉得非常可惜。

"你想看吗？"杂货店店主笑着说，"如果你想要的话，给我8个铜板，我把剩下的那一部分都给你。"

那个学生高兴地说："太好了，我不要这些食物了，我宁愿用食物换这本书。把一本诗集扔到垃圾桶里，实在太可惜了，这简直是罪过。"杂货店店主和他的妻子听了，哈哈大笑起来，就把书送给了穷学生。

这件事正好让躲在屋里的小狐仙看到了，他非常生气，想：谁的胆子这么大，竟敢这样批评杂货店店主？我得想个办法，好好儿教训他一下。

夜色深了。除了那个学生还在那里读书外，其他的人全都进入了梦乡。这时，小狐仙偷偷地走进杂货店店主的屋子，拿走了杂货店店主老婆的舌头。她的舌头非常奇特，只要把它放在一个不会说话的物体上，这个东西就变得像杂货店店主的老婆一样能说会道。

小狐仙把舌头放在装旧报纸的垃圾桶上面，问他："有人说你不懂诗词，这是真的吗？"

"谁说我不懂，我懂。"垃圾桶说，"我敢说，我懂的诗词不比那个学生少。但是对于杂货店店主来说我只是一个廉价的垃圾桶。"然后，小狐仙又把舌头放在咖啡磨上、油桶上、钱柜上和门板上，他们都完全赞同垃圾桶的意见，一致认为垃圾桶应该得到尊重。

很好，这回我该让那个学生清醒一下了。小狐仙想。他偷偷地爬到那个学生住的屋子里，从钥匙孔里张望着。只见屋子里很乱，桌子上只点着一个小蜡烛头，那位学生正读着那本诗词。在烛光的照射下，从书里反射出一道强光，这道强光在屋子里慢慢地形成一棵长满枝叶的大树，树叶发着红光，盖在那个学生的头上。那个学生并没有发现这一点，只是专心致志地读着。这时的屋子已经变成一个美丽的花园，园子里有无数鲜艳的小花，地上形成一大片亮闪闪的绿草地。

小狐仙从没见过这么美的景象。他用脚尖支撑着身体，屏着呼吸，一动不动地向里面窥视着。过了一会儿，屋里的灯突然熄灭了，看来那个学生想睡觉了。

可是小狐仙依然呆呆地站在那里，因为那屋子里的景象还没有消失，那闪亮的绿草地依然放出微弱的光芒，

树叶依然在随风飘动着。

"真不敢相信世上竟会有这种事，真是太出乎意料了！"小狐仙低声地说。他实在是很激动，想马上搬到这里来。但是他又仔细地想了一想，叹气道："可是如果搬到这里就没有粥吃了，那个学生是买不起粥的。"所以他向楼下走去，回到杂货店主那里。小狐仙把舌头从垃圾桶上拿走，还给了店主老婆。

从那以后，每天只要楼上的灯一亮，小狐仙就情不自禁地爬上去，抬起脚，把眼睛贴在钥匙孔上，向里面望着那美丽的大树和那片亮闪闪的绿草地。每当这个时候，他的心总是在不停地狂跳着：如果我能幸福地和那个学生一起在那棵大树下坐着，那该多好啊！深夜时，突然从窗户外面传来了一阵喊叫声，把小狐仙从睡梦中惊醒，外面有好多人在大叫着，原来是街上着了火，真是太可怕了！

杂货店店主的老婆听到外面的声音，着急地扯下

她耳朵上的金耳环，并把它装进了手提包里。杂货店店主急忙去拿他的证券，女佣飞快地跑到自己的屋里，掀开枕头拿那些攒下来的打工钱。在这个时候谁不想从大火里救出一点儿值钱的东西啊。

小狐仙也不例外，他飞快地向楼梯那里跑去，来到了那个学生的房中，那个学生站在窗前，镇定地向窗外望着。小狐仙向他看了看，一把抓住那本放在桌子上的书，塞进了自己的帽子里，并用他那细小的手捂了起来，在他眼中只有它才最值得救。然后，他一直跑到房子的上面，并爬到了那个最高的烟囱上。他趴在那儿，看着那座被烧的房子，他的小脸在火光的映照下露出了一丝微笑，他双手紧紧地捧着那顶帽子。此时，他清楚地知道自己心中的感觉，也知道什么是他最重要的东西。

但是等到大火被扑灭后，他又仔细地想了想，读诗虽然能得到美的享受，可是毕竟不能当饭吃。小狐仙决定还是回到杂货店的店主那里去。

小克劳斯和大克劳斯

Xiaokelaosi He Dakelaosi

yǒu yī gè cūn zi li zhù zhe liǎng gè míng zi yī yàng de rén tā men dōu jiào
有一个村子里住着两个名字一样的人，他们都叫

kè láo sī dà huǒr bǎ yǒu qián de jiào zuò dà kè láo sī qióng de jiào xiǎo
克劳斯，大伙儿把有钱的叫作大克劳斯，穷的叫小

kè láo sī
克劳斯。

yī gè xīng qī zhōng xiǎo kè láo sī yào wèi dà kè láo sī gēng tiān de dì hái děi
一个星期中小克劳斯要为大克劳斯耕6天的地，还得

bǎ zì jǐ jǐn yǒu de yī pǐ mǎ jiè gěi tā yòng ér zhǐ yǒu yī tiān xiǎo kè láo sī cái
把自己仅有的一匹马借给他用。而只有一天，小克劳斯才

néng yòng pǐ mǎ gěi zì jǐ gàn huór
能用5匹马给自己干活儿。

měi dào zhè yī tiān tā jiù huì hěn kāi xīn de yòng pí biān dǎ zhe mǎ hǎn
每到这一天，他就会很开心地用皮鞭打着马，喊

dào hǎo hāor gàn wǒ suǒ yǒu de mǎr
道："好好儿干，我所有的马儿！"

nǐ bù néng zhè yàng hǎn dà
"你不能这样喊！"大

kè láo sī shēng qì de shuō yīn wèi
克劳斯生气地说，"因为

zhǐ yǒu yī pǐ mǎ cái shì nǐ de
只有一匹马才是你的！"

kě shì xiǎo kè láo sī zǒng
可是小克劳斯总

是忘记，于是大克劳斯就把他的马打死了。

"我一匹马也没有了！"小克劳斯伤心地说，边哭边把马皮剥下来，风干后装在一个口袋里，带到城里去卖。走了好久，天黑的时候，小克劳斯迷路了。

路边有一个很大的农庄，有微弱的灯光从里面透出来，在它旁边有一个小棚。小克劳斯打算在这睡上一晚。在棚顶，透过一扇没关好的小窗户，他可以看到屋里的情况。农夫的妻子和一位牧师，在吃美味的鱼。

这时，农夫骑马回家了。他有一个非常奇怪的毛病，一看到牧师，就会变得非常暴躁。所以农夫的妻子一听到马蹄声，就赶忙让牧师藏到一只大空箱子里，接着把好吃的藏进了烤炉里。小克劳斯在棚上看见了这一切。

农夫看到小克劳斯，并邀请他进屋。农夫的妻子给他们每人盛了一碗粥。小克劳斯知道那些好吃的东西都在烤炉里，于是他用脚踩他的袋子，马皮发出了很大的声音。

"你的袋子里是什么？"农夫奇怪地问。

"是一个魔法师！"小克劳斯说，"他能给我们变一炉子好吃的东西。"

"真的吗？"农夫说着立刻打开炉子，看到了藏着的食物。农夫的妻子也不敢说什么，于是他们两个美美地大吃了一顿。

吃饱后，小克劳斯又踩了踩他的袋子，马皮又响了起来。

"这回变些什么呢？"农夫高兴地问。

"一个魔鬼，就在墙角的大箱子里。"小克劳斯说。

农夫小心翼翼地走到藏着牧师的那只箱子跟前，打开一条缝，往里面看去。

"啊！"他一下子蹦了起来，"太可怕了！长得和我们的牧师一模一样！"

"太神奇了，你得把这个魔法师卖给我。"农夫说，"我马上给你一大笔钱。"

于是小克劳斯把装着干马皮的袋子给了农夫，换了整整一斗钱，农夫还送给他一辆推车，让他把藏牧师的箱子也一起带走。

走到一座桥时，小克

láo sī zài qiáo de zhōng jiān tíng le xià lái　　gù yì
劳斯在桥的中间停了下来，故意

yòng hěn dà de shēng yīn shuō　　zhè ge xiāng zi tài chén le
用很大的声音说："这个箱子太沉了！

wǒ yào bǎ tā rēng dào hé li qù　　mù shī zài xiāng zi li dà jiào
我要把它扔到河里去。"牧师在箱子里大叫：

qiān wàn bié zhè me zuò　　fàng wǒ chū qù ba　　wǒ gěi nǐ yī dǒu qián
"千万别这么做，放我出去吧！我给你一斗钱。"

zhè yàng xiǎo kè láo sī dé dào le liǎng dǒu qián　　yú kuài de huí dào
这样小克劳斯得到了两斗钱，愉快地回到

jiā　　dà kè láo sī xiǎng zhī dào xiǎo kè láo sī cóng nǎr　　gǎo dào zhè me duō
家。大克劳斯想知道小克劳斯从哪儿搞到这么多

qián　　jiù wèn tā　　shì mài nà kuài mǎ pí dé de　　xiǎo kè láo sī
钱，就问他，"是卖那块马皮得的。"小克劳斯

dé yì de shuō
得意地说。

yú shì dà kè láo sī pǎo huí jiā　　bǎ zì jǐ de　　pǐ mǎ dōu dǎ
于是大克劳斯跑回家，把自己的4匹马都打

sǐ　　bō xià mǎ pí ná dào chéng li qù mài　　mǎ pí　　mǎ
死，剥下马皮拿到城里去卖。"马皮！马

pí　　liǎng dǒu qián yī zhāng
皮！两斗钱一张！"

tā mǎn dà jiē hǎn　　xié jiàng hé pí jiàng dōu rèn wéi tā kěn dìng shì fēng zi
他满大街喊。鞋匠和皮匠都认为他肯定是疯子，

yào bǎ tā dǎ yī dùn　　dà kè láo sī zhǐ hǎo fēi kuài de táo huí jiā
要把他打一顿，大克劳斯只好飞快地逃回家。

tā jué dìng yào bào fu xiǎo kè láo sī　　jiù ná le yī gè dà kǒu
他决定要报复小克劳斯，就拿了一个大口

dai　　bǎ xiǎo kè láo sī sāi jìn qù　　hǎn zhe　　gǎn piàn wǒ　　wǒ
袋，把小克劳斯塞进去，喊着："敢骗我，我

yào bǎ nǐ yān sǐ
要把你淹死！"

dào hé biān yào zǒu hěn cháng de yī duàn lù
到河边要走很长的一段路。

lù guò jiào táng shí　　dà kè láo sī bǎ zhuāng zhe xiǎo
路过教堂时，大克劳斯把装着小

kè láo sī de dài zi fàng zài jiào táng de mén kǒu
克劳斯的袋子放在教堂的门口，

tā yào jìn qù xiū xi yī huìr　　jiù zài zhè shí
他要进去休息一会儿。就在这时，

lái le yī gè gǎn niú de lǎo tóu　　tā bǎ zhuāng zhe
来了一个赶牛的老头，他把装着

xiǎo kè láo sī de dài zi tī fān le
小克劳斯的袋子踢翻了。

ā　　wǒ zhè me nián qīng jiù yào jìn tiān
"啊！我这么年轻就要进天

táng le　　xiǎo kè láo sī zài dài zi li shuō
堂了！"小克劳斯在袋子里说。

wǒ dōu zhè me dà nián jì
"我都这么大年纪，

还不能去呢！"赶牛的老人羡慕地说。

于是他们就互换了一下，小克劳斯把袋子扎紧，赶着那一群牛回家去了。

过了一会儿，大克劳斯从教堂里出来，他来到河边，就把袋子抛进了水里。

在回家的路上，他碰到了小克劳斯。

"天哪！"大克劳斯喊道，"这是怎么回事？"

"我得谢谢你把我扔进了水里。水底有一个漂亮的姑娘，穿着雪白的衣服，戴着绿色的花环。她给我解开袋子，还送了我这些牛！"小克劳斯说。

"啊，你可真幸运！"大克劳斯说，"如果我也沉到河底，是不是也可以得到牛？"

"当然了！"小克劳斯回答。

于是大克劳斯钻到一个口袋里，让小克劳斯把他扔进了河里，他一下子就沉了底。小克劳斯高兴地赶着牛回家去了。

母亲的故事

Muqin De Gushi

在一个寒冷的冬天，有一个小孩病得很重，发着高烧，连呼吸都很困难。他的母亲守着他，不停地流泪，看起来真叫人难过。

这时，外面来了一个穷苦的老伯伯，他冻得浑身发抖，于是母亲为老伯伯温了一杯酒。老伯伯一边坐下来喝酒，一边摇着孩子的摇篮。母亲已经三天三夜没有休息，她再也支持不住，于是闭上眼就睡着了。但她只睡了两三分钟就惊醒过来，发现孩子不见了。原来那个老伯伯是死神装扮的，他带走了孩子。

悲伤的母亲哭着跑出去寻找她的孩子。母亲碰到一个穿黑色外衣的女人，她就是夜神。

夜神对母亲说："我看见死神走进你的屋子，坐在你的对面喝酒。当你打瞌睡时，他就抱着孩

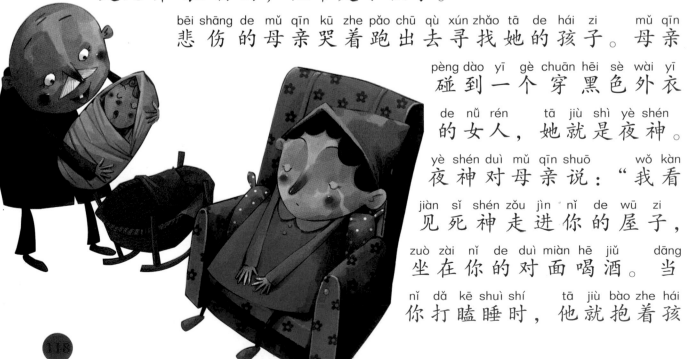

子走了。”

母亲说：“请您告诉我，他朝哪个方向走了？”“我可以告诉你，不过你要把唱给孩子听的歌为我唱一遍。”夜神说。于是母亲流着泪唱起歌来。她的歌声打动了夜神，于是她告诉母亲：“右边有一片黑枞树林，你去那里找吧。”

母亲走进那片树林，发现路上全是挂着冰柱的荆棘，母亲问：“荆棘，你看到死神抱着我的孩子经过这里吗？”荆棘说：“你把我抱在胸口上温暖一下，我就告诉你。”于是母亲抱起荆棘放在胸口，尖刺把她的胸口扎出了血，她也不觉得疼，随后荆棘就告诉母亲应该走的方向。不久，母亲来到一个大湖边。

大湖说：“你的眼睛真美。如果你能把眼睛送给我，我可以把你送到对岸。每棵树每朵花都代表一个人的生命，我想你的孩子也许已经变成了一朵花。"母亲说："只要能得到我的孩子，我什么都可以给你！"说完她就把眼睛留给了大湖，大湖把母亲托起来送到了对岸。

母亲继续向前摸索着。这时传来一个老太婆的声音："你是谁？这里是墓地，你是怎么找到这里的？"母亲问："我来找我的孩子。您能告诉我在什么地方可以找到我的孩子吗？"

老太婆说："你的黑头发很漂亮，如果你愿意用它和我的白头发交换，我就带你进温室。"

母亲说："只要能找回我的孩子，黑头发算什么，我愿意给你！"于是她们交换了头发，然后走进了死神的大温室。这里有数不清的花朵，但母亲却能在花中听到她孩子的心跳。她叫道："我找到了！"说着她伸出双手去拥抱一朵蓝色的早春花，可是这朵花已经垂下了头。老太婆说："你不要动它！死神就要来了，你求他不要拔掉这朵花，如果他不听，你就吓唬他，说要拔掉这里所有的花。这里每朵花每棵草都有生命，没有经过上帝的安排是不能动的。"

这时死神走了进来，伸手要拔这朵早春花。母亲护着花哀求说："请把孩子还给我吧！"

死神摇着头说："这是上帝的安排，要把这朵花移到天国去。"母亲用手抓住另外两朵花说："如果你不答应，我就把所有的花都拔掉。"

死神说："别这样！它们也有生命，它们也有母亲！难道你要别的母亲也和你一样痛苦吗？"

母亲听到这里就渐渐放松了手，她怎么忍心让别的母亲也和她一样痛苦呢？死神摊开双手说："这是你的眼睛吧？我从湖里捞上来了，现在你可以看到一切。你看那些花儿生活得多么快乐。你忍心毁掉它们吗？"

母亲说："不！我不会这样做！请你把我的孩子带到天国去吧！"于是死神就带着这个母亲的孩子飞走了，飞向一个谁也不知道的地方。

这完全是真的

Zhe Wanquan Shi Zhende

一天,太阳落山后,所有的母鸡都飞上木架,开始打起瞌睡来。有一只母鸡,羽毛很白,也很爱美。当她飞上木架的时候,用嘴梳理了几下羽毛,有一根小羽毛落了下来。

她说:"掉了一根羽毛怪可惜的,不过我更漂亮了!"不久她就睡着了。

和她相邻的一只母鸡听到她的话,就告诉另一只母鸡说:"你听到刚才的话了吗?我不愿意把名字指出来。她为了要好看,竟然啄掉自己的羽毛。假如我是公鸡的话,我真瞧不起她。"在鸡舍的屋顶上住着猫头鹰一家。猫头鹰妈妈的耳朵很尖,她听到了第二只母鸡的话,就对丈夫说:"孩子他爸,我是亲耳听到的,有一只母鸡竟然把自己的羽毛全都啄掉,好让公鸡把她看个仔细。"

猫头鹰爸爸说:"这只母鸡太不像话啦。"

猫头鹰妈妈说:"我还要把这话告诉对面的猫头鹰!"说完就飞走了。

他们的话被下边鸽子笼里的鸽子听见了。

"你们听到了吗？有一只母鸡，把她的羽毛都啄掉，想讨好公鸡！她一定会冻死的。"

"在什么地方？在什么地方？"鸽子咕咕地叫着。

"在对面的那个屋子里！我几乎可以说是亲眼看见的。把它讲出来真不像话，不过那完全是真的！"

"真的！真的！每个字都是真的！"所有的鸽子都在说，同时向下边的养鸡场咕咕地叫，"有一只母鸡，也有人说是两只，她们把所有的羽毛都啄掉，为的是要与众不同，借此引起公鸡的注意。这是一种冒险的玩意儿，因为这样她们就容易伤风，结果一定会发高烧死掉。她们两位现在都死了。"

"醒来呀！醒来呀！"公鸡大叫着，同时向围墙上飞去。他的眼睛仍然带着睡意，不过他还是在大叫着，"有3只母鸡和一只公鸡发生了爱情，她们把自己的羽毛啄得精光，结果全都冻死了。这是一件很不好的事情。我要让大家全知道！"

于是这个故事就从这个鸡屋传到那个鸡屋，最后当它回到原来传出的那个地方时，这故事变成了这样："5只母鸡把她们的羽毛都啄得精光，为的是要表示出她们当中谁因为和那只公鸡失了恋而变得最消瘦。后来她们相互啄得流血，5只鸡全都死掉了。这使得她们的家庭蒙受了羞辱，她们的主人蒙受了极大的损失。"

那只掉了一根羽毛的母鸡当然不知道这个故事就是她自己的故事，所以她说："我瞧不起那些母鸡，我们不应该把这类事儿掩藏起来。我尽我的力量使这故事在报纸上发表。那些母鸡活该倒霉！她们的家庭也活该倒霉！"

这故事最终在报纸上被刊登出来：一根小小的羽毛可以变成5只母鸡。这完全是真的。有些传言就是这样越传越离奇的。

守塔人奥列

Shoutaren Aolie

从前有一个叫奥列的老人。他读过很多书，无论你提出什么问题，他都能给你满意的答复。

现在他在城里找到一份很适合他做的工作，那就是为教堂的塔楼做守卫。作为一名守塔人，他能够从一个新高度来观察天上、地上和人们的生活。他感到幸运，因为这个工作对于他的聪明与学问来说是再合适不过的。

一天，一个小女孩带着她的疑问，爬上高高的塔楼，来找奥列。小女孩先向老人致敬，然后对奥列提出了自己

125

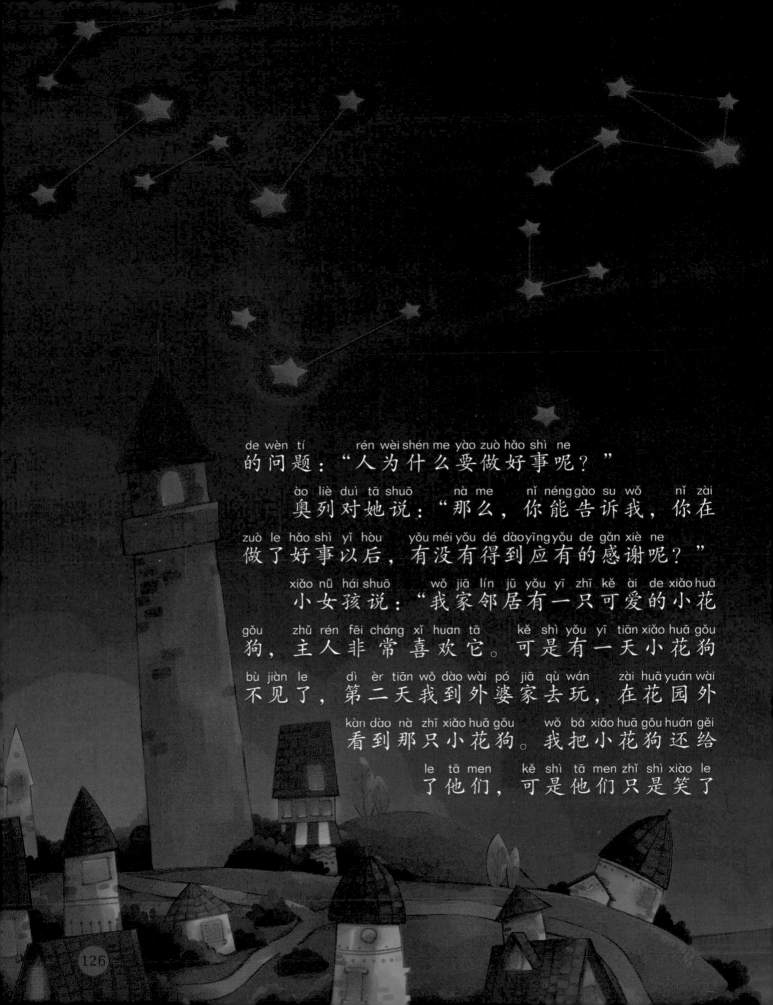

的问题："人为什么要做好事呢？"

奥列对她说："那么，你能告诉我，你在做了好事以后，有没有得到应有的感谢呢？"

小女孩说："我家邻居有一只可爱的小花狗，主人非常喜欢它。可是有一天小花狗不见了，第二天我到外婆家去玩，在花园外看到那只小花狗。我把小花狗还给了他们，可是他们只是笑了笑，没有向我表示感谢！"

奥列说："不，他们在心里已经向你表示了感谢。只要有人做了一件好事，天上就会增加一颗星星。当白天到来的时候，这些星星把它们的光和热都集中在太阳身上，于是我们每个人都可以享受到温暖的阳光。在这个世界上，事情不是向上，就是向下。做好事的人向上升入到天堂里去，在那里长出一朵美丽的鲜花。做坏事的人则要向下，沉到地狱里去。"

奥列最后语重心长地说："我们每个人都应该做好事，不做坏事。而且，如果别人帮助了你，你应该感谢别人。"小女孩非常满意地笑了。

127

一个豆荚里的 **5** 粒豆

Yige Doujia Li De Wu Li Dou

在一片麦田地边上长着一个豆荚，里面有5粒豌豆。他们慢慢地成熟，变成了黄色。

一天，一个小男孩经过这里，把豆荚摘了下来。他取出里面的5粒豌豆，高兴地说："这些豆子正好可以当我的子弹。"他把一粒豆装进他的豆枪里，射了出去。

那粒豆高兴地喊道："现在我要飞向广大的世界里去！"于是他就飞走了。

小男孩又装进第二颗豆，把他发射了出去。

第二粒豆说："我的理想就是直接飞进太阳里去！"他也飞走了。

接下来，另外两粒豆也被射了出去。

"让我随遇而安吧！"最后的那一粒说。他飞到了空中，落在顶楼窗子下面一块旧板子上，那儿正好有一个长满了青苔的裂缝，他一钻进去就不见了。

在这个小小的顶楼里住着一个穷苦的女人。她每天到外面去做很多粗活儿，可是家里仍然很穷。她有一个生病的女儿，躺在家里，身体非常虚弱，已经在床上躺了一年多，看起来很可怜。

春天来了。有一天清早，母亲正要出去工作的时候，太阳光温和而愉快地从小窗子照进来。女孩望着窗玻璃，问道：

"从窗旁边探出头来的那个绿东西是什么呢？他在风里摆动着！"母亲走到窗子那儿，打开一看，"啊！"她说，"是一粒小豌豆。希望我的女儿能像这粒豌豆一样欢乐地成长！"

"他现在要开花了！我幸福的孩子，上帝亲自种下这颗豌豆，叫他长得枝叶茂盛，成为你我的希望和快乐！"母亲有一天早晨说。这天，女孩第一次能够坐起来了，她快乐地坐在温暖的太阳光里。窗子打开，她面前是一朵盛开的、粉红色的豌豆花。小姑娘低下头，在他柔嫩的叶子上轻轻地吻了一下。这一天简直像一个节日。这一粒豆觉得自己是幸福的，因为他给一个小女孩带来了快乐和希望。

钱猪

Qianzhu

钱猪，其实
就是一种
存钱罐。他是用泥
烧制成的，因为形
状是可爱的小猪，而
且背上有一道狭长的
开口，可以把硬币从
这里塞进去存起来，
所以大家就
叫他钱猪。

131

钱猪的大肚子里装满了钱，因此他觉得自己很了不起，看不起别的玩具。他高高地站在柜子上，昂着头，对谁都不理不睬。

婴儿室里有许多玩具。有一天，一个大玩具娃娃提议说："我们来扮演人的角色好吗？"

玩具们都高兴地同意了，只有钱猪除外。因为他太傲慢了，认为那样有失自己的身份，所以如果要他参加的话，他得在自己家里欣赏。大家就照他的意思办了。

玩具们把舞台布置得恰恰可以使他一眼就能看到台上的表演。

这时，一个新来的木偶娃娃表演起了舞蹈，这是一个很漂亮、很苗条的舞蹈家，只见她不停地旋转，一道彩色的丝带也随着舞动，观众们齐声喝彩。

钱猪也看得兴奋起来，他想：啊，太美了。他真想把自己肚子里的钱全都献给他心爱的舞蹈家。他摇晃着自己的肚子，把里面的钱摇得哗啦啦直响。

"啪！"他从橱柜上

掉了下来，落到地上，跌成了碎片，肚子里面的钱币跳着，舞着，打着转滚开了。

很快，钱猪的碎片就被扫进垃圾箱里去了。

不过在第二天，碗柜上又出现了一个泥烧的新钱猪，他肚皮里还没有装进钱，因此他也摇不出响声来。在这一点上来说，他跟别的东西没有什么分别。不过，当他有钱的时候，他也会骄傲起来的。

沼泽王的女儿

Zhaozewang De Nü'er

鹳鸟喜欢讲述童话故事给他们的孩子听，下面这个故事就是鹳鸟妈妈世世代代相传下来的。

很久以前，鹳鸟长期生活在丹麦威舍人住的木屋顶上。在木屋子附近，有一大片沼泽地，那里长满了青苔、野花和矮小的树。这片沼泽从外表看非常平静，可它的下面有一个沼泽王国，那里由沼泽王统治着。无论谁从它上面走过，都会陷到沼泽王国去。

有一天，鹳鸟爸爸来到沼泽地。他躲在芦苇中，那儿的泥土有点儿硬，所以他可以站在上面。这时，他看到3只天鹅飞过。其实她们并不是真正的天鹅，而是埃及国王的3位公主，她们穿着天鹅羽衣飞来。其中的两位每年到这里来洗澡，恢复青春；另一位则是为了给父亲治病而来采

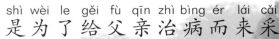

zhāi zhǎo zé li de huā
摘沼泽里的花。

dāng zhī tiān é fēi dào yī kē cán shù shang shí qí zhōng de yī gè tuō xià le
当3只天鹅飞到一棵残树上时，其中的一个脱下了

yǔ yī tiào dào zhǎo zé li wèi fù qīn cǎi huā lìng wài liǎng gè què ná zǒu le nà jiàn tuō
羽衣，跳到沼泽里为父亲采花，另外两个却拿走了那件脱

xià de yǔ yī fēi shàng tiān kōng tā men yī biān sī suì yī fu yī biān è dú de shuō
下的羽衣飞上天空。她们一边撕碎衣服一边恶毒地说：

nǐ chén xià qù ba nǐ zài yě huí bu dào āi jí le liú xià de zhè wèi gōng zhǔ
"你沉下去吧！你再也回不到埃及了！"留下的这位公主

shāng xīn de kū zhe tā de yǎn lèi dī dào shù zhī shang shù zhī biàn chéng le yī shuāng
伤心地哭着，她的眼泪滴到树枝上，树枝变成了一双

zhānmǎn ní tǔ de shǒu bǎ gōng zhǔ lā jìn le zhǎo zé shēn chù
沾满泥土的手，把公主拉进了沼泽深处。

guàn niǎo bà ba měi tiān dào zhǎo zé dì gōng zhǔ xiàn xià qù de dì fang chá kàn yǒu
鹳鸟爸爸每天到沼泽地公主陷下去的地方察看。有

yī tiān tā kàn jiàn yī gēn lù zhī cóng nà lǐ mào chū lái lù zhī shang zhǎng chū le lù
一天，他看见一根绿枝从那里冒出来，绿枝上长出了绿

yè kāi chū le huā bāo yòu guò le xiē rì zi dāng huā bāo zài yáng guāng xià zhàn kāi
叶，开出了花苞。又过了些日子，当花苞在阳光下绽开

de shí hou lǐ miàn tǎng zhe yī gè piào liang de hái zi tā zhǎng de hěn xiàng xiàn xià qù
的时候，里面躺着一个漂亮的孩子，她长得很像陷下去

de nà wèi gōng zhǔ guàn niǎo bà ba zhī dào tā shì xiàn xià qù de gōng zhǔ gēn zhǎo zé
的那位公主。鹳鸟爸爸知道，她是陷下去的公主跟沼泽

wáng shēng de hái zi guàn niǎo bà ba bǎ nǚ hái bào qǐ lái fēi dào tā zhù de nà ge
王生的孩子。鹳鸟爸爸把女孩抱起来，飞到他住的那个

mù wū li bǎ hái zi fàng zài shàn liáng de wēi
木屋里，把孩子放在善良的威

shè rén qī zi de huái li
舍人妻子的怀里。

wēi shè rén de qī zi kàn zhe zhè ge piào
威舍人的妻子看着这个漂

亮的孩子，高兴得又是亲吻，又是抚摸。可是这孩子又哭又闹，一点儿也不乖。威舍人的妻子忙碌了一整天，晚上疲乏地睡着了。当天快亮时，她醒来却发现孩子不见了。她慌忙点了根蜡烛，接着在床头看到一只丑陋的大青蛙。威舍人的妻子拿棍子想打死青蛙，可是那青蛙的眼神看起来非常可怜，看得她心都软了下来。

她听到青蛙发出一种低沉可怜的哀鸣，不禁全身发抖。这时，太阳出来了，她打开窗户，一束阳光从窗孔照射到青蛙身上，青蛙那张宽大的嘴开始变小，那丑陋的四肢开始伸展，慢慢变回小女孩可爱的模样，丑陋的青蛙消失了。

"到底发生了什么事！"她叫道，"我肯定是做了一个噩梦，我可爱的小女孩就在这里！"她抱起小女孩，吻着她，把她紧紧地抱在怀里。但是小女孩像只发怒的小猫，在她怀里又抓又咬。

这样过了两天，威舍人的妻子明白了：这孩子身上附着一种可怕的魔力，白天她的外表像母亲，美丽动人，但性情却像父亲一样粗犷、野蛮；晚上恰恰相反，她的外表像父亲一样丑陋，可性情却像母亲一样温顺。

威舍人和妻子都很喜欢这个孩子，也很同情她，但他们不知道怎样才能解除附在她身上的魔力。秋天，威舍人出征去远方打仗。鹳鸟爸爸和妈妈带着他们的孩子飞向南方，飞到尼罗河畔的埃及，在那里度过严冬。

再说那两个恶毒的公主飞回埃及后，向人们编造谎言，说年轻的公主被猎人用箭射死了。鹳鸟爸爸听到她们的谎言，想去啄这两个邪恶的公主，但鹳鸟妈妈说："如果那样，你会被发现的，多为自己的家想想吧！"于

137

是，鹳鸟爸爸偷走了她俩的羽衣并藏了起来，让她俩再也飞不起来，这样她们就不会干更多的坏事。

16年过去了，小女孩慢慢地长大了，人们给她取了个名字叫赫尔珈。但她还是像从前一样，白天是个漂亮而冷酷的美女，晚上则变成一个长着蛙头和蛙蹼的可怜的怪物。

这年秋天，威舍人出征回来，带回来许多俘虏和战利品。俘虏中有一个年轻的神甫，他被囚禁在阴森森的地牢里，第二天将被处死祭神。

白天，赫尔珈磨刀霍霍，要求第二天亲自杀死神甫。她磨完刀后，正好有一条狗跑到她身旁，她便一刀捅进狗的身体并笑着说："试试刀锋怎么样。"

威舍人的妻子带着一种恐惧的神情注视着邪恶的女儿。当夜幕降临，赫尔珈的身体和思维发生变化时，威舍人的妻子便对女儿讲述她的悲伤和痛苦，这只像侏儒身材的丑陋青蛙似乎听懂了这些话，大颗的泪珠在她眼睛里闪动。深夜，可怜的青蛙向地牢爬去，她爬进地牢，打开囚室的牢门，发现那个无助的神甫在睡觉。她用冰凉的手抚摸着他。神甫醒来发现面前是一个可怕的动物，吓得直发抖，因为他认为她是一个邪恶的灵魂。

青蛙咬断了捆绑神甫的绳子，并挥动着自己的手做着手势，意思让神甫跟她一起逃走。他们来到马厩里，拉出一匹马。随后这只大青蛙以惊人的敏捷跳上马，她坐在神甫的前面，用手解开了缰绳。神甫明白了，这个奇怪的伙伴是想给他带路。他们骑着马，顺着青蛙的手势或点头所指示的方向，很快就走出了草地，向远方逃去。

神甫感到是上帝派来这个奇怪的动物帮助他逃离地牢的，于是他祈祷并唱起了赞美诗。青蛙吓得发抖，她突然抓住了缰绳让马停下来，想跳下去。但神甫不愿意放走她，他又唱起另一首赞美诗，希望这样能击破她体中的邪术。

太阳升起时，赫尔珈又变成了凶恶的美女。当神甫意识到在他怀中的不再是一只大青蛙而是一个美貌的女孩时，他吓得从马上跳下来，想逃走。但赫尔珈也迅速地下了马，并从她的皮带里抽出刀，对准了神甫。

神甫知道她中了邪魔，可是没有什么办法。这时，赫尔珈尖叫着："我要把刀尖刺进你的身体，让它见血！"

神甫急忙抓住她的手臂，和她搏斗起来。长在小溪边的一棵老树根绊倒了赫尔珈，神甫便用清澈的溪水为她驱魔，为她祈祷，倔强的赫尔珈慢慢变得温顺起来。神甫温和地告诉她，昨晚她所表现出的爱的举动，虽然那时她长得像青蛙一样丑陋。他们重新骑上马，沿着小溪往森林深处走去，只不过这次赫尔珈坐在神甫的后面，因为神甫害怕她那来自邪恶的美丽。他们一边走，一边说着话。神甫决心拯救这个姑娘的灵魂，因为他相信这个姑娘一定可以得到拯救。

黄昏的时候，他们来到一块开阔的平地。这时，遇上了一群强盗。

“你在哪儿抢了一位美丽的少女？”一个强盗喝道，其余几个强盗命令他们下马。强盗用斧头砍死了马，然后就去砍神甫，神甫用赫尔珈的那把刀自卫，但强盗人多势众，神甫为了保护赫尔珈被一个强盗用大铁锤杀死了。

当强盗们抓住赫尔珈白皙的手臂，正准备加害她时，太阳下山了，她又变成了丑陋的青蛙，强盗们吓得放开了她，一个个都站在那里一动不动。她一下跳到强盗的头顶上，然后消失在绿林中，逃脱了厄运。

太阳又升起来了，它仍然像远古时一样明亮，可是美丽的赫尔珈不见了，她化作一条光带向天上飘去，在她站过的地方，只剩下了一朵凋谢的莲花。

赛跑者

Saipaozhe

森林里正在评选速度最快的赛跑者。

一截树桩是评奖委员之一。他宣布："经过评奖委员们投票表决，野兔获得这次比赛的第一名！"

野兔说："虽然我得了第一名，但是评奖委员之中有人不主持公道，给他的亲戚蜗牛评了第二名，我绝不能接受这样的评选结果！"

亲眼看过比赛的篱笆桩立刻表示反对。他说："赛跑不光要看速度，也应该把比赛的热忱和毅力考虑进去。蜗牛虽然跑得很慢，但他为了赶时间，把大腿骨都折断了，这精神是值得奖励的！"

蜗牛说："野兔是因为胆小懦弱才跑，他总是害怕有危险，而我是把赛跑当成了任务，所以第一名最应该给我。"

"那么也应该考虑我呀！"燕子说，"我相信在飞翔方面没有任何

人比我快，我曾去过很多地方。"

"这正是你受人批评的地方。"篱笆桩说，"每当天气一冷你就飞到外国，一点儿爱国心都没有！"

一头野驴说："假如我不是评委，我一定投自己一票。我认为赛跑不仅要看速度，也要考虑其他的因素。比方说，能背多重的东西；另外就是'美'的标准，像野兔的那对耳朵就很美，就像我小时候一样，所以我投他一票。"

野玫瑰张开了笑脸说："我觉得太阳光应该得到光荣奖和二等奖。他从太阳走到地面的速度是那么快，而且力量很大，使整个大自然都苏醒了，使树林变得更美丽了。"

大家都抢着发言，可是谁也没说服谁。不过这倒是挺热闹的，不是吗？

143

恶毒的王子

Edu De Wangzi

从前有一个王子，十分恶毒。他征服了所有的国家，并把俘虏来的国王套上铁锁链，系在他的马车后面，在大街上游行，到处去炫耀他野蛮的威力。

一天，他甚至要求把他的雕像竖在教堂里，和神像放在一起。不过，管理教堂的人却不同意，对他说："上帝的威力比您的大得多，我们不敢执行您的命令。"

王子说："那好吧！我就向上帝宣战！"他要人们为他建造一艘神奇的大船，这艘大船必须能飞行。

不久，神奇的大船造好了，恶毒的王子坐上去，一直飞到了上帝的堡垒外面。上帝派出一位天使，恶毒的王子立刻按动开关，几千颗子弹一齐向天使射去。天使的翅膀受了伤，流下了一滴血，这滴血立刻将王子的船砸得粉碎。王子紧紧抓住了一只秃鹫的爪子，掉落在一片大树林里。王子终于知道了上帝的威力，可是他并不甘

心，又建造了许多神奇的船，还动员世界上所有的军队，前去进攻上帝的堡垒。

这次，上帝派出一群蚊子应战。他们用看不见的小尖刺猛扎王子的手和脸。王子急忙命令部下拿来最好的蚊帐，把自己包裹起来。不过，一只最小最调皮的蚊子钻进了王子的耳朵，狠狠地刺他、扎他。毒汁钻进了王子的脑子里，王子头疼得像被火烧一样。他撕掉裹在身上的蚊帐，又撕掉衣服，还不停地用手撕扯自己的身体。最后，王子像疯子一样，什么也没穿，在他那些粗野的士兵面前跳起舞来。

士兵们见状都大笑起来，讥笑这个恶毒的王子，妄想要战胜上帝，却被一只蚊子给制服了。

踩面包的姑娘

Caimianbao De Guniang

从前有一个穷人家的女孩叫英格儿，她很漂亮，可是也很任性。后来，她在一个有钱人家做用人，这家人对她很好，把她打扮得像自己的孩子一样漂亮。英格儿更觉得自己了不起，变得更加任性和骄傲。

过了一年，女主人说："英格儿，你应该回家看看家人，这儿有一条长面包，是送给你父母的。"于是英格儿穿上最好的衣服和最漂亮的新鞋回家去，她想让家里的人们看看她现在有多么风光。

半路上，要路过一块沼泽地。英格儿怕弄脏自己的鞋，就把长面包扔到泥巴上，打算踩着面包走过去。可是她刚踏上去，就连同面包一起沉了下去。

英格儿沉到了酿酒的沼泽女妖那里。女妖的酿酒房里，所有的酒缸都散发着怪味，酒缸之间的小缝里，有很多黏糊糊的癞蛤蟆和肥胖的水蛇缠在一起。

魔鬼和魔鬼的曾祖母那天

qià qiǎo lái niàng jiǔ fáng
恰巧来酿酒房

chuàn mén　　mó guǐ de zēng zǔ mǔ shì yī
串门。魔鬼的曾祖母是一

gè shí fēn dú là de lǎo nǚ rén　　tā bǎ yǎn jìng
个十分毒辣的老女人，她把眼镜

dài shàng zǐ xì kàn le yī xià yīng gé er　　zhè shì gè
戴上仔细看了一下英格儿，"这是个

bù cuò de gū niang　　tā shuō dào　　qǐng bǎ tā gěi
不错的姑娘！"她说道，"请把她给

wǒ ba　　tā huì chéng wéi zhuāng diǎn wǒ chóng sūn zi qián
我吧，她会成为装点我重孙子前

庭的很合适的雕像。"

于是小英格儿来到了地狱。只见一大群死

人正在等着慈悲的大门打开，他们已经等了很

久很久！又肥又大的蜘蛛在他们的脚上吐着千年老

丝网，这些蜘蛛网像铜链一样地锁住了他们。英格儿

作为一座雕像立在那里，也体验到了这种悲惨。下边，

她的双脚牢牢地陷入在那块面包里。

那些死人都看着她，恶毒的眼里还表现出憎恶。但小

英格儿此刻还在想：我的面庞很漂亮，穿着很好的衣

服！让你们忌妒我吧。事实上，在沼泽女妖的酿

酒房里她已经被弄得很脏了，她一点儿没想到，她的衣

服又黏又湿，头发上爬着一条蛇，衣裙的褶纹里有很多

癞蛤蟆伸头往外看，呱呱叫着，看上去让人很不舒服。

这时，一滴热泪滚过她的脸落到了面包上，接着又

掉了许多滴。是谁在为小英格儿哭泣？是在地面上的她

的母亲。可是这些泪珠并未减轻小英格儿的痛苦，泪珠在

烧灼她，只会使她的痛苦加剧。

现在她清楚地听见地面上的人们在谈论她，而且全

是尖锐的责备她的话。她的母亲哭着说："是骄傲让你栽

148

了个大跟头，才遭这种罪。这是你的不幸，英格儿！你让我伤透了心！"

她的母亲和上面所有的人都知道她踩着面包走，然后沉下去不见了。这是一个放牛的人说的，他在山坡上看见了发生的事。英格儿听见她的主人说："她是一个罪孽深重的孩子！她一点儿也不珍惜食物，把面包踩在脚下，现在谁能救她啊？"

他们真该早些严严地管教我啊！英格儿想着。她听见还有人编了一首歌说她："高傲的姑娘，踩着面包走，怕把鞋弄脏。"这首歌全国上下都在唱。

我要听多少责骂啊！我要受多少罪啊！英格儿想着，于是她恨所有的人。

然而有一天，她听见有人对一个天真无邪的

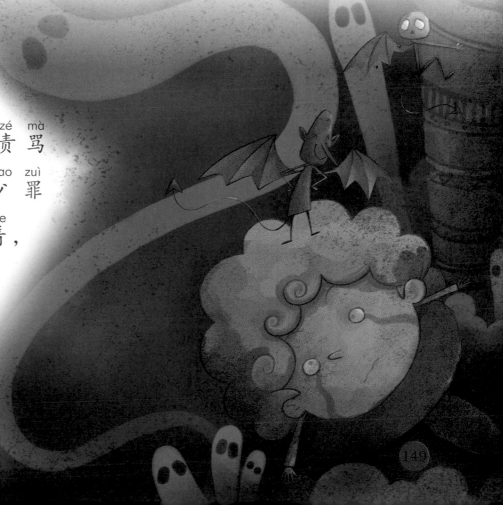

小姑娘提到她的名字，讲着她的事情，小姑娘放声哭了起来。

"是不是她再也不能上来了呢？"小姑娘问道，得到的回答是："她再也上不来了！""要是她请求宽恕，以后再也不那么做了呢？""可是，她是不会请求上帝宽恕的！"他们说道。"我真希望她会请求上帝宽恕！"小姑娘无限悲伤地说，"我愿把我所有的玩具娃娃都献出来，只要她能够再上来！这对可怜的小英格儿是多么残酷啊！"

这些话一下子感动了她，因为有人说"可怜的小英格儿"，这还是头一回呢。英格儿自己也想哭，但是她哭不出来，因为她是雕像。

岁月流逝，关于她的谈论越来越少。忽然有一天，她听到一声叹息：

"英格儿啊！英格儿！我可怜的孩子啊！我是多么想念你啊！"这是她的母亲弥留时的叹息。

英格儿心里真后悔啊，她想：我不该把面包踩在脚下，我以后再也不浪费粮食了，再也不任性了。这时，一道阳光迅速射过地狱，照在英格儿的身上。转眼间，她变成了一只小鸟儿飞出了地狱，重新回到光明温暖的世界。它的羽毛是那么清洁美丽。

在严峻的冬天，水都结成了厚实的冰，鸟儿和树林中的动物很难找到食物。那只小鸟儿在雪橇留下的辙迹里寻找着，偶尔也找到一个麦粒，在路人歇脚的地方，找到一两块面包屑。它只吃一小部分，就把其他饥饿的麻雀都唤来，让它们在这里找吃的。

整整一冬天，小鸟儿分给大家的面包屑加起来几乎已经和英格儿踩的那块面包一样大了，在它找到最后一块并且把它分出去的时候，小鸟儿的翅膀变成了白色。现在，它时而冲向海面，时而在耀眼的阳光中高高升起，它终于变成了一只快乐的鸟儿。

在养鸭场里

Zai Yangyachang Li

从葡萄牙来了一只母鸭，她被人称为葡萄牙母鸭。有一只公鸡不可一世地走过来。

葡萄牙母鸭说道："他很漂亮，但应该稳重一点儿，叫得这么难听。椴树上那些会唱歌的小鸟儿唱得多动听啊！我真愿意做小鸟儿的妈妈。"这时，一只猫在屋顶上追一只小鸟儿，小鸟儿头朝下落了下来。小鸟儿的一只翅膀骨折了，掉到鸭场里。葡萄牙母鸭很可怜这只会唱歌的小鸟儿，别的鸭子也围过来看。

葡萄牙母鸭说道："我要尽我所能为他做点儿什么。"于是她走进水槽，用翅膀使劲地拍水，她拍出的水几乎淹死了小鸟儿。小鸟儿说："太太，我知道您心肠好，不过我现在不需要淋水，我快淹死了。"葡萄牙母鸭说："用水治病是最好的方法，我最喜欢这样了。"然后她就闭着眼睛在阳光里躺下来睡觉。小鸟儿也靠在她身旁躺下。

过了一会儿，有人向养鸭

场里撒下吃的东西。葡萄牙母鸭立刻翻起身，翻身时把
小鸟儿压得透不过气来。葡萄牙母鸭不理他，忙着去抢
东西吃。小鸟儿想对她唱首歌，可是母鸭竟不耐烦地
说："别吵，我现在要睡觉！"当葡萄牙母鸭睡醒以后，
小鸟儿衔来一颗麦粒想献给她，但她却生气地说："别老
是黏在我身边！"小鸟儿感到很惊讶："您好凶呀！真叫
我害怕！"母鸭大叫："胡说八道！你敢说我对你不好？我
现在要教你学学礼貌！"于是她一口咬掉了小鸟儿的头。

所有的鸭子和鸡也都围过来，他们对小鸟儿表示至深
的同情。现在这儿再也没有歌声这么美的小鸟儿了，也就
没有什么可嫉妒的了。这就是鸭子们的好心肠！

一枚银币
Yimei Yinbi

从前，造币厂里有一枚崭新的银币，他很想看看外面的世界。终于有一天，一辆卡车来到厂里，把这枚银币和他的很多兄弟姐妹们一起拉走了。他兴奋极了。

一天，他来到一位绅士的口袋里。这位绅士正准备出国。他安静地躺在绅士的钱袋里，坐着一辆四轮马车出发了。他根本就不知道绅士到了什么地方，自己现在在哪个国家。日子一天天地过去，银币一直没有机会出去。他觉得越来越无聊，最后，他决定跑出去看看。

有一天，他趁绅士不注意，偷偷地爬到钱袋口，向四周观察了一番，然后就滚到了地上，没有人注意到他。就这样，银币离开了绅士。

过了一段时间，有人发现了他。银币激动极了，他觉得自己会经历各种有趣的事情。

可是那个人把他翻过来翻过去，看了一会儿却说："我们国家没有这种银币。这肯定是一枚假币，一点儿用处都没有！"银币听了很生气也很伤心，想不到自己竟然是枚假钱。

于是他就变成了没有人喜欢的东西，只有在黑夜里趁别人看不清楚时，才能被偷偷地使用。小孩子用温暖的手紧紧握着他；贪婪的人用黏湿的手抓着他；老年人把他翻来覆去地看。

有一天，一位穷苦的老

155

太婆在辛辛苦苦工作了一天后去领取她的报酬。老板趁着天色昏暗，就把这枚银币当作报酬给了她。老太婆小心翼翼地拿着他，生怕一不小心就弄掉了。回到家里，老太婆才发现这枚银币居然是假的。

老太婆感到很难过，银币也很伤心。他觉得自己只能给人们带来痛苦。老太婆仿佛也知道了他的心情，温和地看着他，对他说："你不要太难过，也许你是个吉祥物！我会给你打个孔，穿一根线，把你作为一件礼物送给邻居的孩子。"

后来，老太婆把他送给了一个可爱的小女孩。小女孩很喜欢他，她把银币挂在脖子上，就连睡觉时也把他带在身上。有一天，小女孩的妈妈发现了他。她拿着一把剪刀把那根线剪断，然后把他放进口袋走到市场。她认为这枚银币是上帝赐给她的好运，于是她用这枚银币买了一张彩券。

这次他并没有被认出来，而是和许多银币一起滚进了一个大匣子里。但他心里很清楚，就算这次能蒙混过去，以后一样会被人认出是假币。他不希望任何人受到欺骗，可是又不得不被别人当作假币去骗人，但是他却没有能力去改变这一切。他对自己已经失去了信心，只能日复一日地过着艰难屈辱的生活。

一天，一位旅客在一大堆钱币里发现了这枚可怜的银币。他仔细地看了一遍，说："哦，原来是我们国家的钱币！我可得留下他，把他带回家去。"

银币很高兴，因为他终于遇到了认识他的人。就这样，这枚银币被带回了自己的国家。在这里，他再也不会感到自卑和难过。

经过这一段曲折的历程之后，银币懂得了很多道理。他说："无论遇到什么烦恼和痛苦，无论遭受多少误解，都要相信自己的价值。事实终将会战胜一切！"

藏着并不等于遗忘

Cangzhe Bingbu Dengyu Yiwang

在这篇童话里，我们要讲3个小故事。

第一个故事是这样的：从前，有一个高贵慈祥的太太，住在一所非常古老的城堡里。

一天深夜，一伙强盗偷偷地攻进城堡，将她从睡梦中抓了起来，把她拴在狗窝旁。然后，强盗们在大厅里狂吃狂饮，庆祝自己的胜利。

一会儿，有一个人朝她悄悄地走来。原来是强盗头子的随从，一个只有十三四岁的孩子。小随从对她说："太太，你还记得我的父亲吗？那时候，我的父亲被主人折磨，是你为他苦苦求情。后来，我父亲把这件事情告诉了我。我把它藏在心中，但我永远都不会忘记这件事！"

说着，小随从解下了她身上的狗链，又从马厩里牵出两匹马，他们一起在风雨中逃到远方去了。

第二个故事是这样的：有一个贵族家庭，女主人为人们做了许多好事，但从来不要求回报。

一次，她听说附近住着一个既穷苦又瘫痪的女人，

就亲自到她那里去，请她搬到自己的家中居住。穷苦的女人连做梦也想不到会有这样的好事情。

女主人说："能为受难的人帮一点儿忙，对我来说只不过是举手之劳。可是我自己得到的幸福和快乐却是多么大啊！"

第三个故事是这样的：

在一个热闹的大都市里。有一个女佣，她把房子收拾得既整齐又干净。

有一天，女佣的恋人来看她，对她说："我们两个都是穷苦人，对面那个富有的寡妇对我很好。不过我的心中只有你，我只爱你。你觉得我该怎么办才好？"

女佣说："你认为怎样能使

你幸福，你就怎样去办吧！"

后来，男人和寡妇生活在一起，这对恋人便从此分手了。

很多年过去了。有一天，这个穷苦的女佣在街上遇到了她从前的恋人，这时，他们都老了。女佣关切地问他："你生活得还好吗？"

男人说："在我的心中只想着你。我的内心很痛苦。我已经得了重病，可能不久就要死了。我这一生最遗憾的事，就是当初没有和你生活在一起。"

过了一周，女佣的恋人果然死了。女佣把自己关在房间里哭了整整一夜。第二天，她在自己的帽子上打了一个表示哀悼的黑色蝴蝶结。她仍然爱着他，从来也没有忘记他。

这3个故事都是首蓿花瓣讲的，它告诉人们：爱永远藏在人们的心中，有时候不表示出来，但并不等于遗忘。

癞蛤蟆
Laihama

田野里有一口井，井很深，井水很清。但不论什么时候，太阳的光线都没法照到井底，只能照到井壁那乱石隙缝间绿草丛生的地方。井的周围长满了一丛丛的灌木，还有各种野花。井口有一个辘轳，拴着很长的绳子，是用来打水的。

在黑暗的井底，住着很多青蛙。同时，大大小小潮湿的石块上，还住着一个癞蛤蟆家族。癞蛤蟆妈妈最小的孩子总想去看看外面的世界。"别异想天开！"妈妈呱呱地说，"这里是你的家，只有自己家里最安全！千万小心吊水桶，别让它给捞住！万一被吊上去，就赶快往下跳，别摔断你的腿，这就要看你的本事和造化了。"小癞蛤蟆说："知道了。"可是他仍然很想出去看一看。

第二天早晨，他找了个机会：当吊水桶装了满满一桶水要被拉上去的时候，他使劲一跳，跳进桶里，然

后随着盛满水的水桶被拉了上去，接着听见打水的人喊道："哪儿来的丑八怪！我从没见过这么令人恶心的玩意儿！"说完，那人立刻把水倒进井边一丛长得很高的荨麻里。小癞蛤蟆蹲在荨麻丛里，仰望天空，荨麻叶子遮住了他的视线。这些叶子竟是半透明的，太阳光筛射过它们，闪闪烁烁的，很奇妙。

"哇！这里真美呀！"小癞蛤蟆兴奋地说，"就是让我在这里待上一辈子，我也会心甘情愿！"他在荨麻丛中舒服地躺了一会儿，觉得自己还是应该再往前走走看。于是，他伸了伸懒腰，慢慢地爬出了荨麻丛。

他用贪婪的眼光处处搜寻。他觉得自己是个幸运儿，能够看到绚丽的阳光，看到青枝绿叶，看到美丽的蝴蝶在缤纷的花朵间飞来飞去……

但是他又不满足于现在看到的一切，他要追求更美的东西。于是他爬过公路，来到一个水沟里。"生活真是奇妙！"他对自己说，"真没想到，外头的世界这么不可思议！"

他信步漫游，穿越一片巨大的田野。最后来到田间一个长满了灯芯草的小池旁。小池里传出呱呱、呱呱的欢唱声，原来是一群青蛙在举行音乐会。小癞蛤蟆接受了青蛙们的盛情邀请。音乐会上只有单调的谐音，什么食物也没有，可饮料却十分充分，在湖里尽可随意饮用。

小癞蛤蟆想：我还要继续往前走，去追求更好的东西！他爬啊爬，不分昼夜。他看到又大又圆的月亮，看到又大又圆的太阳，心里涌起更大的渴望。他喃喃自语："原来我现在还是在一口井里，只不过这口井比原来那口井大许多罢了，我还要爬得更高一点儿，去寻求快乐和光明！"他走进一家菜园，满眼望去，一片碧绿。他美滋滋地自言自语道："这世界这么巨大无边，又是这么光彩夺目！一个人实在应当多出来走走看看，不该老守在一个地方。哈哈！你看，这里是多么绿、多么美啊！"

一棵白菜叶上的毛毛虫听见了，用不屑的口气说："这些东西我早就知道！我的这片白菜叶子是整个园子当中最大的一片，它一长出来，就把地球的一半给遮住了。至于那另外的一半，我根本不感兴趣。"

这时，有几只母鸡蹒跚而来，咕咕地四处寻食。为首的那只母鸡一下子就瞧见白菜叶上的毛毛虫，立刻踱了过来，啄这片白菜叶子。毛毛虫便栽了下来，而一落地，它便翻了个身，蜷作一团。

母鸡头一伸，准备将毛毛虫美餐一顿。突然，她看见离毛毛虫不远的地方，怪物似的癞蛤蟆正向自己爬来。

母鸡失声惊叫："咯咯！一只多可怕的爬行怪物啊！"说着立刻退了回来，丢下毛毛虫不管了。

小癞蛤蟆安慰了毛毛虫之后又继续前

行。他来到一家农舍门外，这座农舍屋顶的最高处，有一个鹳鸟巢。小癞蛤蟆看见屋内有两个人：一个是诗人，正站在窗前吟唱诗句；一个是博物学家，正在用放大镜观察他收藏的矿物标本。

过了一会儿，博物学家拿出一个完整的癞蛤蟆标本进行观察，诗人走过来说："最丑的癞蛤蟆头上藏着一颗最贵重的宝石，不信你剖开瞧瞧！"门外的小癞蛤蟆听了一惊："幸亏我头上没宝石，不然可要倒霉了。"

这时，农舍屋顶上空，一只鹳鸟展开翅膀飞来飞去。"哇！他飞得多么高——我从没看到过有人飞得这样高！"蹲伏着的小癞蛤蟆

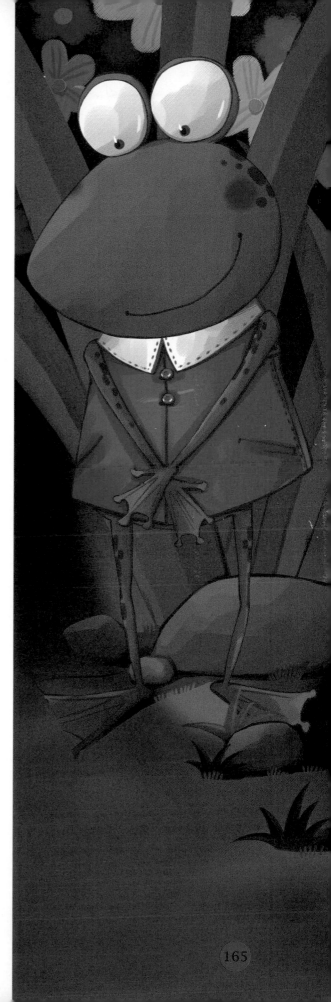

165

在草丛里发出呱呱的惊叹声。

在屋顶的鹳鸟巢里，鹳鸟妈妈正在和她的孩子们叽哩咕噜。小癞蛤蟆听见她们是在谈论尼罗河和金字塔，他更觉得新奇有趣，暗暗发誓：我也一定会到埃及去！想到这里，他忽然感悟到自己正拥有一颗闪闪发光的宝石，这使得他浑身充满了活力，不断地向上。然而就在这一刹那间，空中的鹳鸟发现了他，扇着翅膀，扑棱棱地朝他飞来！

鹳鸟直扑下来，长长的嘴使劲地啄住了小癞蛤蟆。可怜的小东西无论怎样挣扎也无济于事，脑袋嗡嗡地感到像被钳子夹着那样难受。

小癞蛤蟆被鹳鸟紧紧衔着飞向天际，耳边响起萧萧的风声，这样的旅行当然难受，但他却知道是在向上飞，而且是在向埃及飞。因此，他的眼睛好像有火星迸出来似的，放着异样的光芒。

终于，小癞蛤蟆的心脏停止了跳动，他不再动弹，还没有到达遥远的埃及，他就死了。但他眼睛里迸出的火花被太阳光吸收进去了，太阳带走了癞蛤蟆头上的那颗璀璨的宝石，那颗宝石正是他心中的渴望和追求！

茶壶

Chahu

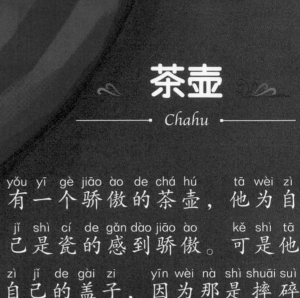

有一个骄傲的茶壶，他为自己是瓷的感到骄傲。可是他从不提自己的盖子，因为那是摔碎后粘起来的。

"我知道自己的缺点！"他在心里说，"每个人都

168

有缺点，但是也都有各自的长处。

杯子有把手，糖罐有盖儿，我既有把

手又有盖儿，前面还有一个他们都

没有的东西——一个嘴巴，这让我

成了茶桌上的国王。"

这些话都是茶壶年轻的时候说

的。后来有一只纤秀的手把他拿起来。

可是这双手很笨，茶壶掉到地上，壶嘴折了，壶把断

了，盖子没了。

"这件事我永远都不会忘记！"茶壶在后来谈到自己

的生活经历时说，"我变成了残废，被搁到角落里，后

来就被送给一个要饭的老妇人。我的身体里装进了土，

里面放了一个球茎，她成了我的心脏，我有了生命和

力量。球茎发了芽，开出美丽的花朵，她的美使我忘记了

自己！她根本没有想到我，也没有感谢我。有一天，我被

从中间敲碎，那真是痛极了。可是花到了一个更好的花

盆里。我被扔到了院子里，成了一堆破碎片。但是我的

记忆还在，并且永远也不会忘记。"

老头子做事总不会错

Laotouzi Zuoshi Zong Buhui Cuo

在乡下的一所房子里，住着一对老夫妇。他们很穷，只有一匹马可以帮邻居干活儿，靠这个挣钱。

一天，老婆子说："你去把马换成别的东西吧。"

于是老头子骑着马上路了。路上，碰到了一个人牵着一头母牛。"嘿！"老头子说，"我们换好不好？"

"当然好了！"牵牛的人说。于是老头子牵着牛，朝集市继续走去。走着走着，碰到了一个牵着一只羊的人。

"我们换换好吗？"老头子说。他们马上就交换了。在一个篱笆边上，一个人用胳臂夹着一只鹅。

"你这只鹅不错吗！"老头子说，"拿我的羊换你的鹅好吗？"那人当然愿意了，于是老头子得到了鹅。这时，有一个人的母鸡在咯咯地叫着。"我们换吧！"老头子说，于是他有了一只母鸡。

天气很热，老头子也累了，于是他走进一家小酒店，这时酒店的伙计正想出来，他背着一个口袋。

"袋子里装的什么？"老头子问道。

　　"烂苹果！"小伙子
回答，"满满一袋。"
　　老头子说道："我拿我的
母鸡和你换！"于是老头子得到了一口袋烂苹果。他走
进屋子，把口袋放在火炉边上。屋子里有许多人，其中
有两个英国人，他们非常有钱。"里面是什么呀？"他
们问老头子。于是老头子就把事情说了一遍，他们便知
道了关于马怎么变牛一直到这袋烂苹果的整个过程。
　　"你回到家，老婆子肯定会揍你一顿的！"两个英国
人哈哈大笑地说。"我会得到一个吻！"老头子说"她还
会说：'老头子做事总不会错！'"
　　"我们打个赌！"英国人说道，"满满一桶的金币！"

于是他们坐上车一起来到老头子的家里。"辛苦了，老头子！""我用马换了一头母牛！"

"多谢上帝，我们有牛奶喝了！"老婆子说道，"换得太好了！"

"不过我又用母牛换了一只羊！"

“这就更好了！我们可以喝羊奶，还有羊毛袜子穿，太棒了！”

“我又拿羊换了一只鹅！”

“我们有烤鹅吃了，老头子你总是让我高兴！”

“我把鹅又换成了一只母鸡！”老头子继续说道。

“换得太好了，母鸡会下蛋，这样我们就有小鸡了。”

“哦，不过母鸡让我换成一口袋烂苹果了！”

“太好了！”老太婆说道，“邻居说我们园子里什么也没有，现在我可以给她10个烂苹果！”于是她给了老头子一个吻。

“这可真感人！”两位英国人说道，“看起来不好的事情却总表现得那么乐观！”于是他们付给了老头子一桶金币。

因为老头子做的事总不会错。

173

飞箱

Feixiang

很久以前，有一个商人的儿子，他的一个朋友送给他一个旧木箱。这是一个神奇的箱子，只要一按它的锁，就会飞起来。箱子带着商人的儿子飞出窗户，飞过天空，越飞越远，一直飞到了土耳其人住的地方。

在这儿有一座高大的宫殿，美丽的公主住在里面。商人的儿子从窗户飞了进去。公主真是太美了，商人的儿子立刻爱上了她。公主吃惊地看着这个从窗户飞进来的陌生人，于是他对公主说自己是土耳其人的神，专程飞来看她的。然后，他给公主讲了好多美丽的故事，他讲得很迷人也很动听。所以，当他向公主求婚的时候，公主很快就答应了他。但是，公主要求商人的儿子星期六要来给国王和王后讲一个特别好的故事，他们都非常喜欢听故事，只有这样才能同意他俩的婚事。

星期六到了，国王、王后和全部的大臣都到公主那里等着听故事，商人的儿子便开始讲了起来。

故事里有一捆出身高贵的柴火、一个苦命的旧铁罐、

一个会报告新闻的菜篮子、
一个会讲故事的陶罐、一把
会跳舞的火钳，还有一支高傲
的鹅毛笔和一把不肯唱歌的
茶壶……故事很精彩，所有的
人都听得着了迷。于是，国王
和王后一
致同意
把女儿嫁
给他。
婚礼的
前一个晚上，
整个城市都

张灯结彩。商人的儿子去买了各种各样的烟花爆竹，装在自己的箱子里，飞到天上去，然后把它们一起燃放。所有的人都被那美丽炫耀的场景震撼了，他们都说公主嫁给了真正的土耳其的神。

商人的儿子把飞箱降落在森林里，他要去城里转一转，听听大家对他的赞美。他听到了那些称赞，然后心满意足地回到树林去。可是，箱子不见了，它被一粒烟花的火星烧成了灰烬。

商人的儿子再也不能飞了，也不能去他的新娘那里了。他的新娘整天在宫殿的屋顶上等着他，可能现在还在那儿呢。而商人的儿子在四处流浪，讲着他的故事。

鹳鸟

Guanniao

在城市尽头的一所屋子上有一个鹳鸟的巢，那里住着鹳鸟妈妈和她的4个孩子。鹳鸟爸爸每天笔直地站在离巢不远的屋顶上，守卫着他们。

下边街上有一群顽皮的孩子，他们一齐唱了一首自己编的嘲笑鹳鸟的歌。只有一个叫彼得的孩子不愿意参加，他认为拿动物开心是有罪的。鹳鸟宝宝们对这些孩子的行为很生气，想去报复他们一下，可是鹳鸟妈妈说别管他们，应该先要学会飞行。

"等你们会飞了，我们可以到草地上去捉青蛙。"鹳鸟妈妈说。"接下去呢？"鹳鸟宝宝们问。"所有的鹳鸟就会集合起来，开始大操练，不会飞的鹳鸟会被啄死。所以你们必须好好儿地学习飞行，这很重要！"鹳鸟妈妈严肃地说。"大操练后，我们便飞到暖和的国家去，"鹳鸟妈妈接着说，"那里有三角形的石头房子，叫金字塔。一天到晚除了吃，我们什么事也不干。那真是太美好了。"过了一些时候，鹳鸟宝宝们长大了，他们可以站起来了。鹳鸟爸爸每天给他们带来美味的食物，还给他们讲有关沼泽的有趣故事。

"我要教你们飞行了！"一天，鹳鸟妈妈说。于是4只鹳鸟宝宝摇摇晃晃地走出鸟巢，来到屋顶上。他们张开翅膀保持着平衡，但还是差点儿摔了下去。"跟我学！"鹳鸟妈妈说。于是她示范地飞了一小段路程，鹳鸟宝宝们也笨拙地跳了跳，但是他们都摔倒了。不过，他们继续努力地练习。到了第三天，他们已经能飞一点儿了。"一、二、三！这下子我们要飞得更高一些！左转去绕着烟囱飞一圈。"鹳鸟妈妈说，"很好！翅膀最后拍的那几下非常漂亮。我想你们一定是最棒的。"

收获的季节来了。在大操练中鹳鸟宝宝们飞得是最好的,他们得到了"捕捉青蛙和小蛇"奖。

冬天就要到了,在鹳鸟们要飞到温暖的国家前,鹳鸟宝宝们说:"我们应该报复一下那些顽皮的孩子们。"

"是呀!"鹳鸟妈妈说,"我想到一个好主意。有个水池,人类的婴儿都睡在那儿等着鹳鸟们把他们送到父母那里去。现在我们给那些好孩子每人送一个弟弟或妹妹去,那些唱过嘲笑鹳鸟歌的孩子一个也不给。那个叫彼得的好孩子,我们也给他送一个弟弟或妹妹去。你们以后也都叫彼得吧!"

从那以后,所有的鹳鸟都叫彼得,直到现在。

亚麻

· Yama ·

一株亚麻盛开着蓝色的花朵，温柔的花瓣在阳光的照耀和雨露的滋润下，精美得如天使的翅膀。

"大家都说我长得好，"亚麻欢快地说，"将来我一定能被织成漂亮的布，我真是太幸福了。"

然而，有一天，有人拽着亚麻的头顶把他从土里连根拔出来，疼极了。然后把他放进水里，好像要淹死他一样。接着，把他放在火上烤，像是要烧死他，真是很悲惨。亚麻心想：一个人不可能永远都那么顺利的，吃点儿苦头才会明白更多的事情。

更糟糕的事情发生了，亚麻被折断、切碎、揉搓和梳理。他还不明白是怎么回事，就被装上纺车，咕噜、咕噜地转得他头晕，思想也没办法集中。接着他又被装到织布机上，被织成一块又大又漂亮的布。"真是没想到，我多幸运啊，受点儿苦也值得。"亚麻高兴地说。

现在，麻布在一间屋子里面，一把剪刀正裁剪他。剪呀，裁呀，缝呀，麻布变成了12件内衣。

啊，我总算是有点儿成绩了！这就是我的宿命！我对世界有些用处，这才是真正的幸福呀。他陶醉地想着。

时间流逝。内衣已经破损不堪，被撕成烂布片，烂布片被拿去剁碎，还用水煮，结果，他们变成了雪白精美的纸。"真是太奇妙了，出乎意料的美好！"纸说，"我比以前更美，人们可以在我上面写字。我真是幸福啊！比我还是小蓝花时的梦想要好得多，我能带来知识和愉悦。我贡献自己微薄的力量，我是最幸福的！"

纸被送到一家印刷厂，上面写的一切都印刷成书，无数的人因书而快乐。

"能认清自己就是真正的进步。不知道我还能变成什么，但我会永远前进！"纸美滋滋地想着。

有一天，纸要被放进炉子里烧掉。屋子里好多孩子围

在一起，他们要看火烧起来时的红火星，这些火星一个接一个地很快就熄灭了。

所有的纸都被放在火上，瞬间他成了一团亮丽的火焰。火焰升得很高，那是亚麻开蓝色小花时也没有到达的高度。他的亮光是白麻布从没有过的，纸上的字全都变成了红色，所有的话语和思想都化成了火焰。

"我要到太阳那里去了！"他在火焰中欢呼着，通过烟囱一直穿向天空。在那儿有比火焰还细微的生物在浮动，像亚麻开的花一样多，比产生他们的火焰还要轻。

当火焰最终熄灭，只剩下纸灰时，他们还在上面跳了一段舞。他们在所有接触过的地方都留下了小小的印记。

甲虫
Jiachong

huáng dì de mǎ jiù li yǒu yī zhī jiǎ chóng
皇帝的马厩里有一只甲虫，
tā jué dìng qù wài miàn de shì jiè chuǎng dàng
他决定去外面的世界闯荡
yī xià
一下。

于是他飞到一个可爱的小花园，那里正盛开着美丽的花朵，空气中散发着玫瑰和薰衣草的香味。

"你看这里是不是很美呀？"一只可爱的小瓢虫问道，他不停地拍着自己带黑点的红翅膀飞来飞去，"气味多么香甜，花儿多么美丽呀！"

"我住的地方比这儿好，"甲虫说道，"你说这里美？可这儿连一堆粪都没有。"

于是他继续出发，来到了一大丛紫罗兰花的阴影中，这里趴着一只毛毛虫。

"世界真是美好啊！"毛毛虫说道，"太阳暖暖地照着，而我一觉醒来就会变成美丽的蝴蝶，真是太快乐了！"

"你可真能想得出来！"甲虫说道，"长上翅膀飞！我看你是疯了！"接着甲虫便飞走了，边飞边咕哝着："我可不想和疯子待在一起。"

他在水沟旁，遇到了几位自己的同族。"欢迎你，远方的客人。"他们说道。

"你是从粪堆里来的吧。"最年长的一个问道。

"比那还要好呢，"甲虫说道。"我是从皇帝的马厩里来的。这次出来有秘密使命，我是不会告诉你们的。"

不远处有3个年轻的甲虫小姐，她们看着他在偷偷地笑。

"我从没见过这么美的小姐！"甲虫说道。

于是，甲虫便和其中的一位小姐结了婚。

婚后的第三天问题来了，他得考虑妻子，可能还有孩子的吃饭问题。

"我不能待在这儿了，"他说道，"我要离开他们。"

甲虫真这么做了，他乘着一片菜叶子越过了水沟。

忽然有一只手抓住了甲虫，是两个孩子发现了他。他们把他放进一只旧木鞋里，并且在里面插了一根木签做桅杆，甲虫被绑在木签上，放进了湖里。

这是个很大的湖，甲虫害怕极了。木鞋漂走了，越漂越远。甲虫吓得浑身发抖，他被绑在桅杆上，根本动不了。

就在他快要绝望的时候，来了一只船，上面有几个年轻姑娘。她们用剪刀把绑着甲虫的线剪断了，放走了幸运的甲虫。

甲虫快速地飞走了，飞进了一个高大的建筑里面。他精疲力竭地落到地上，这里恰巧正是国王的马厩。

"旅行能让头脑清醒。"甲虫说道，"世界还不错，可是你要懂得怎样对待它！"甲虫终于心满意足了。

186

蜗牛与玫瑰树

Woniu Yu Meiguishu

有一个园子，周围是一圈像篱笆一样的榛子树丛，外面是田野和草地，还有许多的牛羊。在园子的中央有一棵盛开的玫瑰树，树下有一只蜗牛，他每天在玫瑰树下晒太阳。

有一天，蜗牛说："等着看我的吧！我要开花，要结榛子，还要像牛羊一样产奶，我要做好多事情。"

"我真想看看呀。"玫瑰树说，"那么你什么时候做呢？"

"别着急。"蜗牛说，"我得慢慢来！着急成不了事。"

一年过去了，蜗牛仍然躺在玫瑰树下。玫瑰树开着美丽的花朵，还是那么芬芳和清新。蜗牛懒洋洋地自言自

语道："一切都和过去一样，没有变化！玫瑰树除了开花，就没有什么新招了！"

就这样，一年又一年地过去了。"你已经是棵老玫瑰树了。"蜗牛说，"大概你的生命也快结束了。你把一切都给了世界，这有意义吗？除了开花，你什么也没干过。"

"哦，你把我吓了一大跳。"玫瑰树说，"开花使我快乐。太阳是那么的温暖，我喝着甘甜的雨露，从泥土中获得力量，感到无比幸福。我不断地开花，那是我的生活，我就是这样！那么你都干了什么呢？"

"压根儿我就没有想过。"蜗牛说，"世界跟我不相干！我自己的事就够多的了。""难道我

们不应该把最好的东西奉献给别人吗！我拿出的是玫瑰，可是你给了世界什么？"

"我给了什么？他和我没关系。你开你的花去吧！让榛子树结他的果子吧！让牛和羊产奶去吧！我在我自己的身体里，世界和我没有关系！"

于是蜗牛就缩回到自己的壳里。

"真叫人伤心呀！"玫瑰树感伤地说，"就算我想，我也没有办法把身子缩进去，我必须总是开花。花瓣落了，被风吹走！但是我看见一朵玫瑰花夹在了赞美诗集里，另一朵玫瑰花被插在一个年轻美丽的姑娘的胸前，还有一朵被一个幸福的孩子吻了一下。这些都是我的回忆，是我的生活！"

玫瑰依然纯真地开着花。蜗牛缩在他的屋子里，世界和他没有关系。一年一年过去了，蜗牛和玫瑰树都成了泥土中的泥土，但是园子开出了新的玫瑰花，爬出了新的蜗牛，故事依然继续。

出版策划：孙亚飞
责任编辑：赵晓星
责任校对：李延勇
特邀审校：雪　静　张　帆
文图编辑：杨　陆
装帧设计：夏　鹏　韩少杰
美术编辑：罗小玲
插图绘制：小新插画